KB183353

명심보감에서
사람의 길을 찾다

※ 동양고전 인문학, 명심보감 강설 ※

명심보감에서
사람의 길을 찾다

초운 오석환 지음

《명심보감(明心寶鑑)》이란 책을 풀이하면 '밝힐 명, 마음 심, 보배 보, 거울 감'이 합쳐 이루어진 말이니, '마음을 밝히는 보배로운 거울'이라고 할 수 있다. 따라서 이 책은 일상생활에서 마음을 맑고 밝게 하는 데 관련된 명구나 격언, 그리고 문장들을 여러 서적에서 발췌하여 만들어진 책이다.

내용이 쉽고 간결하기 때문에 오래전부터 초학자들의 한문 교본으로 널리 학습돼왔으며 최근에는 각 대학의 필수과목이나 교양과목으로 선정되어 대학생들의 인문 교양과목으로 활용되고 있다.

우리 국어 생활에서 흔히 '명심'이라 하면 '명심(銘心)'을 말한다. 이는 '마음속에 새기다'라는 의미를 가지고 있으니 '각심(刻心)'과 같은 의미를 나타낸다.

그러나 여기서 말하는 '명심(明心)'은 '마음을 밝히다' 또는 '마음을 맑게 하다'란 의미를 가지고 있다.

이는 사서(四書)의 하나인 《대학(大學)》의 〈경일장(經一章)〉 첫머리 "대학지도 재명명덕 재친민 재지어지선(大學之道 在明明德 在親民 在止於至善)"의 문장에 나오는 '재명명덕(在明明德)'중 앞의 '명(明)'에 해당하는 '밝히다'의 의미인 것이다.

이 문장의 해석은 "대학의 도는 밝은 덕을 밝히는 데 있고 백성을 친히 하는 데 있으며 지극히 착한 곳에 머무르는 데 있다"이니, 뒤의 '명(明)'은 그냥 형용사인 '밝다'란 의미이고 앞의 '명(明)'만 타동사인 '밝히다'의 의미인 것을 알 수 있다.

여기서 '명덕(明德)'이 주자(朱子)의 해설에 의하면 '성현(聖賢)의 덕'이라 하니, '밝힌다'는 '명(明)'은 '성현의 덕으로 민중(民衆)을 교화시켜 빛낸다.'라는 의미일 것이다.

따라서 '명심(明心)'의 '명(明)'도 '마음을 맑게 하여 빛낸다.'라고 볼 수 있다.

'보감(寶鑑)'은 '보배로운 거울'이고, 여기서 '거울'은 '본보기'를 뜻하니 '보감'은 '보배로운 본보기'인 것이다.

이 책은 저자(著者)와 저작연대(著作年代)가 확실치 않고 세간(世間)에 유통되는 책들이 모두 내용이 달라 교감(校勘)이 쉽지 않았다. 구한말(舊韓末)에 나온 대구인흥사재본(大邱仁興舍齋本)이 유통되면서는 고려말 노당(露堂) 추적(秋適)이 지은 것으로 알려졌으나 청주본(淸州本)이 나오면서부터는 명초(明初)의 범입본(范立本)이 지은 것으로 보는 사람들도 있다.

그러나 고려의 추적과 명나라 범입본 중 누가 저자인지는 확실하

지 않다. 태어난 것으로 보면 당연히 추적이 죽은 뒤에야 범입본이
태어났으니 추적을 원저자로 보아야 하겠지만, 범입본의 책이 출간
연도가 빠르고 분량과 내용면에서도 방대하고 자세하여 단정하기가
어렵다.

　필자가 처음 명심보감을 접한 것은 사실 대학에서 한문을 전공하
고 대학원에 진학한 뒤에 우연히 YWCA에서 특강을 하면서였다. 그
뒤 단국대학교에서 사범대와 문과대 학생들을 상대로 몇 년간 명심
보감 강의를 하였고, 또 조선대학교 고전연구원 서당에서 수강생들
을 대상으로 고전 강의를 하며 기초교재로 명심보감을 강의하고자
다시 이 책의 정확한 해석과 의미를 되새길 필요가 있게 되었다. 시
중에 수많은 명심보감 해석본들이 범람(氾濫)하지만 한문을 공부하
고 가르치는 사람들이 정확하고 올바르게 이해할 수 있도록 만들어
진 책은 없는 듯하였다.

　또한 대전시청 공무원들을 상대로 인문학 강의를 시작하고 대학
평생교육원에서 성인들을 대상으로 강의를 시작하면서부터는 재미
와 감동을 주는 강의를 위하여 다시 이 책을 주제별로 살펴볼 필요성
을 느끼게 되었다.

　이 책에 들어있는 내용들은, 어떤 것은 출전이 불확실하고 어떤 것
은 도교사상에 치우친 감이 없지 않으나, 마음을 맑고 밝게 하는 것
은 종교의 문제가 아니고 부귀와 영화만을 추구하는 흐린 세상을 헤
쳐 나가는 데 반드시 필요한 일인 것이다. 모자란 재주와 얇은 지식
으로 용감히 책을 낸 것을 가상히 여겨주시고, 비록 이 책이 명저(名

著)에 속할 수는 없겠지만 장기나 바둑을 두는 것보다는 나을 것이라 생각한다. 한문공부를 하려는 사람들에게 기초를 다지는 데 조금의 도움이 되리라는 것을 믿어 의심치 않는다.

끝으로 어려운 여건에서도 흔쾌히 출간을 허여해 주신 김기호 대표님께 사의를 표한다.

2017년 봄 초운 오석환 쓰다.

《 차례 》

명심보감 강설

明心寶鑑 講說

勸善懲惡권선징악
教學相長교학상장
父子有親부자유친
一日三省일일삼성
生死有命생사유명
文質彬彬문질빈빈

권선징악(勸善懲惡)
성선(性善)과 성악(性惡)

　현대 우리 생활에서 한문으로 된 고전 중에서 많은 사람들이 친근하게 여기고 좋아하는 책으로 《논어》와 《명심보감》을 꼽는 사람이 많을 것이다.

　《논어》를 선호하는 것은 당연하다. 유교 최고의 경전이며 공자의 말과 행실을 기록한 유일한 서적이기 때문이다.

　그러나 《명심보감》을 꼽는 것은 조금은 특이하다. 사실 『명심보감』은 유가(儒家)보다는 도가(道家)에 가깝다고 여겨지는 서적이다.

　그 서명(書名)부터가 그러하다. '명심(明心)'은 '마음을 밝히다.' 또는 '맑은 마음'의 뜻을 지니고 있고, '보감(寶鑑)'은 '보배로운 거울' 또는 '보배로운 본보기'라는 의미를 지니고 있다. 따라서 《명심보감》은 '마음을 밝히는 보배로운 본보기' 또는 '맑은 마음의 보배로운 거울'이라는 의미의 책이라고 볼 수 있는데, 이는 도가에서 중요시하는 마음 공부에 속하는 것이기 때문이다.

물론 마음공부는 도가에서만 중요한 것은 아니다. 유가에서나 불가에서도 마음공부는 아주 중요시한다.

《명심보감》은 기존의 여러 서적에서 마음에 관련된 구절들을 모아 놓은 책이다. 그 내용에 들어가 보면 노자와 장자뿐만이 아니라 도가(道家)의 여러 도사와 신선들의 말이 상당수 인용되어 있다. 때문에 정통 유학자들은 아예 외면하거나 제자들에게 멀리하라고 가르쳤지만 우리 생활과 가까운 내용으로 이루어져 있고, 또한 누구나 공감하는 마음공부의 중요성 때문에 대부분의 서민들이 좋아하게 되면서 고려시대부터 이미 인쇄가 시작되었고, 우리 생활과 밀접한 내용들로 편집이 이루어져 있어서 서민들 사이에 널리 퍼지게 되었으며, 조선시대를 거쳐 현대에 이르기까지 많은 사랑을 받게 된 것이다.

'권선징악'은 누구나 잘 알고 있는 사자성어(四字成語)이다. '선을 권장하고, 악을 징계하다'란 내용은 어쩌면 식상하고 고리타분한 이야기이다.

그러나 그 속에는 인간이 가야 할 목표가 있고 길이 있다. 물론 선을 행한다고 부유하며 귀하게 살고 악을 행한다고 가난하고 천하게 산다는 것은 아니다. 다만 이상적인 삶은, 선을 행할 때에는 복을 받아 부유하고 귀하게 되어야 하며 악을 행할 때는 재앙을 받아 가난하고 천하게 되어야 하는 것이다.

이 이상적인 삶이 바로 우리가 생각하는 선비정신이며 인간이 가야할 길인 것이다.

《명심보감》의 처음은 공자의 말로 시작하고 있다. 이는《명심보감》

이 만들어진 때는 이미 공자가 가장 위대한 스승으로 추앙받던 시기이기 때문이기도 하지만, 공자의 말을 맨 앞머리에 놓음으로서 무게감과 가치를 높일 수 있기 때문이었다. 이 첫 구절이 《논어》에 나오는 것은 아니고 《공자가어(孔子家語)》에 나오는 구절이지만, 이 역시 여러 서적에서 공자와 관련된 구절들을 모아놓은 책이니 교훈이 될 만한 내용이 아닐 수 없다.

1-1   子曰 爲善者 天報之以福 爲不善者 天報之以禍

공자께서 말씀하셨다. "선을 행하는 자는 하늘이 그에게 복으로써 보답하고, 불선을 행하는 자는 하늘이 그에게 재앙으로써 보답한다."

선을 행한다고 하늘이 어찌 복을 주겠는가? 아무리 착한 일을 많이 해도 반드시 하늘에서 그 보답을 받았다는 얘기를 들은 적이 드물다. 그러나 동서양을 막론하고 전설이나 이야기책에는 거의 착한 일을 많이 하면 결국 복을 받고 착하지 못한 일을 많이 하면 결국 재앙을 받는 경우가 많다.

흔히 철학은 이상을 추구하는 학문이라고 한다. 철학이 인생을 논하는 학문이란 것을 이해하게 되면, 왜 이상을 추구해야 하는지 이해하게 될 것이다. 현실을 그대로 인정한다면 아무런 발전이 없는 것이다.

많은 사람에게 좋은 일이라도 누군가는 불만이 있게 마련이고, 많은 국민에게 좋은 정책이라도 누군가는 반대가 있게 마련이며, 아무리 착한 일을 많이 해도 하늘이 재앙으로 보답할 수도 있다고 여긴다면, 누가 좋은 일을 즐겨하며, 좋은 정책을 세우려 할 것이며, 착한 일을 하려 하겠는가?

이 때문에 좋은 일은 결국은 모두가 만족하게 되고, 좋은 정책은 결국은 국민 모두가 찬성하고 행복해지며, 착한 일을 많이 하면 결국은 복을 받게 된다고 믿어야 하는 것이다. 그래야 발전이 있게 되는 것이며, 바람직한 인간이 될 수 있다. 공자는 인간이 가야 하는 길을 제시한 가장 위대한 스승이기에 더욱 이상을 추구한 것이다.

또한, 인간이 인간에게 보답을 베푸는 것이 순리이고 눈에 보이는 보답을 주어야 당연한 것이나, 현실은 항상 그렇지 아니하여 착한 일을 행한 사람에게도 재앙이 닥치고 오히려 악한 일을 행하는 사람에게 행운과 복이 주어지는 경우가 많다. 이렇게 불공평한 인간세상에서 착한 일을 행하는 사람들에게 희망을 주어야 하고, 또한 많은 사람들에게 착한 일을 행하라고 권장하려면, 인간을 뛰어넘는 절대적 존재가 필요했을 것이고 그것이 하늘이라는 절대자로 표현된 것이다. 이 '하늘'은 인간에 의해 '우주자연'으로 해석되기도 하고 '하느님' 또는 '하나님'이라는 종교적 존재로 해석될 수도 있을 것이다.

어찌 되었든 착한 일을 행한 사람에게는 반드시 복을 주고 악한 일을 행한 사람에게는 반드시 재앙을 주는 존재를 하늘로 본 것이다. 착한 일을 한 당사자에게 복을 내리기도 하지만, 당사자에게 복이 미치지 않으면 반드시 자손에게 내린다고 하였다.

얼마나 지혜로운 말이며, 얼마나 합리적인 말인가? 당장은 아니더라도 언젠가는 그 보답이 반드시 주어진다고 믿게 하는 것이다.

사실 이 말은 공자의 말이라고 가장 확실하게 믿을 수 있는 《논어(論語)》에는 나오지 않는다. 위(魏)나라 사람 왕숙(王肅)이 지은 위서(僞書)로 평가받는 《공자가어(孔子家語)》에 나오는 말이다. 공자가 이렇게 천근(淺近)한 이야기를 했을 거라고 사람들은 믿지 않을 것이다.

그러나 이는 바로 공자사상의 가장 핵심일 수도 있는 선과 악, 그리고 이상에 관한 말인 것이다. 때문에 공자가 했을 거라는 상당한 근거를 가지고 있다고 보아야 한다.

현실은 항상 어긋나서 선을 행한 사람이 재앙을 받는 경우가 많고, 악을 행한 사람이 복을 받는 경우가 많다. 《명심보감》에서도 이를 의식하여 다른 문장을 제시하여 그럴 듯하게 이를 합리화시키고 있다.

1-2   東嶽聖帝垂訓曰 一日行善 福雖未至 禍自遠矣 一日行惡 禍雖未至 福自遠矣 行善之人 如春園之草 不見其長 日有所增 行惡之人 如磨刀之石 不見其損 日有所虧

〈동악성제수훈〉에 말하였다. "하루 선을 행하면 복은 비록 이르지 않으나 재앙은 저절로 멀어지고, 하루 악을 행하면 재앙은 비록 이르지 않으나 복은 저절로 멀어진다. 선을 행하는 사람은 봄 동산의 풀이 그 자라는 것이 보이지 않으나 날마다 더하여짐이 있는 것과 같고, 악을 행하는 사람은 칼을 가는 돌이 그 깎임이 보이지 않으나 날마다 이지러짐이 있는 것과 같다."

'동악성제'는 도가(道家)에서 말하는 신선이다. 중국에는 '오악(五嶽)'이 있다. 동악인 태산(泰山)과 서악인 화산(華山)과 남악인 형산(衡山)과 북악인 항산(恒山)과 중악인 숭산(崇山)이 그것이다. 그러니까 동악은 태산에 거처하는 신선인 것이다.

선을 행한다고 당장 복을 받는 것은 아니지만 재앙은 저절로 멀어진다고 하니, 이 얼마나 현명한 말이고 솔깃한 말인가? 또 악을 행하면 당장 재앙을 받는 것은 아니지만 복이 멀리 달아나 버린다고 했으니, 아주 그럴 듯한 말이 아니겠는가?

선을 행하는 것은 마치 봄 동산에서 자라는 풀과 같아서 그 자람이 눈에 보이지 않으나 날마다 자라서 어느 날 훌쩍 커서 꽃을 피우고 열매를 맺는 것이다. 또한 악을 행하는 사람은 칼을 가는 숫돌과 같아서 그 깎임이 보이지 않으나 날마다 깎여서 어느 날 움푹 패여 버려짐을 당하게 되는 것이다. 이 얼마나 천근(淺近)한 말인가? 교훈은 이처럼 쉽고 친근한 비유를 들어야 한다. 괜히 고상하고 어려운 용어와 공식이나 법칙을 들먹이는 건 그쪽 공부하는 사람들만의 방식일지 모르겠으나 일반 사람들에게는 전혀 이해가 되지 않을 것이다. 그래서 주자(朱子)는 친구인 여조겸(呂祖謙)과 함께 성리학의 어려운 문제들을 쉽게 이해시키기 위하여 《근사록(近思錄)》이라는 책을 엮어 가깝고 친근한 것을 예로 들어 설명하고 있다.

여기에서 공자는 '악(惡)'이란 표현을 사용하지 않았다. 다만 '불선'이란 용어를 사용하고 있는 것이다. 이것은 동양적 사고인 상대적 개념에서 나온 것이다. 부유함과 가난함, 귀함과 천함을 어떻게 확연하게 구분할 수 있겠는가? 물론 전혀 없는 경우는 조금 구분할 수 있겠지만, 부유함은 돈과 재물이 상대적으로 더 많고 가난함은 돈과 재물이 상대적으로 적은 것일 뿐이다. 천함과 귀함도 마찬가지로 지위가 상대에 비해 조금 더 높고 낮은 것일 뿐이며, 선과 불선도 상대적으로 더 좋은 것과 더 나쁜 것일 뿐인 것이다.

예를 들어 조선 초기의 황희(黃喜) 정승에 대한 일화를 들어보자. 황희는 3대에 걸쳐 재상을 지내 지위는 높이 이르렀으나(貴), 나라를 위해 항상 염려하고 헌신하다보니 집을 돌볼 겨를이 없어서 집에서는 끼니를 걱정할 정도(貧)였다고 한다. 이를 보다 못한 세종은 황희를 위해 다음날 4대문에 들어오는 모든 공물(供物)을 황희에게 하사(下賜)하라고 명을 내렸다고 한다. 그러나 다음날은 새벽부터 거세게 바람이 불고 굵은 비가 내려 아무도 출입하는 사람이 없었다고 한다. 하루가 지나고 막 4대문을 닫으려고 하는데 노인 하나가 계란 두 꾸러미를 들고 들어왔다고 한다. 그래서 황희에게는 그 계란 두 꾸러미가 하사되었는데 집에 이르러 요리를 하려고 깨보니 모두 곯아 있어서 먹을 수가 없었다고 한다. 여기에서 "계란유골(鷄卵有骨 : 계란이 곯아 있다)"이라는 한자성어가 만들어졌는데, 아주 재수 없는 상황을 가리킬 때 쓰이는 말이다.

때문에 당시의 사람들은 황희를 평하기를 "귀빈(貴賓)한 사람"이라고 하였는데, '부귀(富貴)'는 항상 따라다니는 것은 아닌가 보다. 여기에서 '귀(貴)'와 '천(賤)'은 상대적으로 쓰여 상대보다 지위가 낮거나 없는 것을 '천'이라 하고, 상대보다 지위가 높은 것을 '귀'라 하는 것이다. '부'도 마찬가지로 상대보다 재물이 많은 것을 나타내고 상대보다 재물이 적거나 없는 것을 '빈'이라 부르는 것이다.

그러나 부유하다고 행복하고, 가난하다고 불행하며, 귀하다고 영광스럽고, 천하다고 수치스러운 것은 아니다. 오히려 가난함과 천함을 '청빈(淸貧)'으로 여기며 자랑스러워했으니 말이다.

〈계선편〉에 두 번째로 등장하는 문장은 《삼국지(三國志)》〈촉지(蜀志)〉에 등장하는 유비의 말이다.

1-3 漢昭烈 將終 勅後主曰 勿以善小而不爲 勿以惡小而爲之
   한나라 소열 황제가 임종하려 할 때 후주에게 조칙을 내려 말하였다. "선이 작더라도 행하지 않아서는 안 되고, 악이 작더라도 행해서는 안 된다."

이 문장은 《주역(周易)》에 나오는 "小人 以小善 爲无益而弗爲也, 以小惡 爲无傷而弗去也(소인은 작은 선을 이익이 없다고 하여 아니 행하고, 작은 악을 다침이 없다고 하여 버리지 아니한다)"라는 문장에서 나온 말이다. 유비의 아들인 유선은 사실 왕이 되어 한나라를 부흥시키기에는 상당히 모자란 인물이었다. 때문에 나관중의 《삼국지연의(三國志演義)》에서는 유비가 나라를 제갈량에게 물려주려 했다고도 했으나, 제갈량이 한사코 사양하며 유비의 아들인 유선(劉禪)에게 충성할 것을 맹세하고 잘 보필하여 한나라를 부흥시키겠다고 하자, 유비는 아들인 유선에게 모든 국사를 제갈량과 상의하고 제갈량의 결정을 무조건 따르라는 엄명을 내리고 왕위를 물려줬다고 한다.

《삼국지(三國志)》에서 보여주는 유비와 제갈량의 관계를 사자성어(四字成語)인 〈삼고초려(三顧草廬)〉를 통해서 살펴보겠다.

사실 고사성어(故事成語)는 원래 만들어질 때에는 나름의 상당한 이유가 있었지만, 세상에 전해져 쓰일 때에는 조금은 사실과 다른 경우가 많다. '삼고초려'도 우리가 흔히 '뛰어난 인재를 대우하는 예절'이란 의미로 써서, 뛰어난 인재를 등용하고자 할 때에는 지극한 정성과 대우를 다해야 함을 말하는 것으로 되어 있다.

그러나 유비는 제갈량과 만날 당시 아주 어려운 곤경에 처하여 있었기 때문에 이 난관을 벗어날 누군가의 도움이 절실히 필요했고, 이 난관을 벗어나 새로운 세력을 형성하는 계책이 필요했었다. 때문에 제갈량과 유비의 만남은 숙명이었고, 유비에게는 제갈량이 구세주였던 것이다. 당시 제갈량은 남양(南陽)에서 움막을 짓고 화전을 일구며 살고 있었다고 한다. 이러한 제갈량에게 한 무리의 우두머리이며 한나라 황족인 유비가 고생을 무릅쓰고 세 번이나 찾아 갔다는 것은 절실함을 넘어서 간곡함과 정성의 극치를 보인 것이었다.

물론 유비는 세 번이 아니라 열 번이라도 찾아갈 수밖에 없는 처지였다. 따라서 '삼고초려'에서 '삼(三)'은 꼭 현대적 의미인 '세 번'을 뜻하는 것이 아닌 고전적 의미인 '여러 번'으로 보는 것이 타당할 것이다. 이는 《주역(周易)》에서 말하는 건괘(乾卦)가 삼(三)자의 형태인 것에서도 잘 드러난다. 곧 건괘(☰)는 양(陽)을 나타내어 '많음', '큼', '밝음', '높음', '남자', '강함' 등의 의미를 지니고 있다.

《삼국지》〈촉지〉에서는 유비가 추운 겨울에 고생하며 찾은 두 번의 방문에서 제갈량을 만나지 못하고, 봄에 이르러 세 번째 방문에서 제갈량을 만나 천하삼분지계(天下三分之計)를 토론한 뒤 제갈량을 등용하는 것으로 나타나 있다. 그런데 제갈량은 유비의 정성에 감동되어 그냥 따라나섰던 것일까? 아마도 그렇지 않았을 것이다. 아직 드러나지 않은 유비의 세력에게 그것도 한나라 황족이라는 명분 하나만을 걸고 한나라 황실을 부흥시키겠다고는 하지만, 그럴 가망이 희박한 유비를 그냥 따라나섰을 리가 없었을 것이다. 나관중(羅貫中)의 《삼국지연의》를 보면 제갈량은 군사운용에 관한 모든 권한과 정책 결정의 상당한 권한을 행사하는 것으로 나오고 있다. 이는 유비를 따라나서기 전에 유비에게 약속을 받았다고 볼 수밖에 없다. 요즘 말로 표현하면 최고의 대우와 인센티브를 약속 받았다고 보아야 한다.

"삼고초려"에는 유비의 인재를 등용하는 예절과 제갈량의 뛰어남을 부각시키고, 촉(蜀)나라와 유비의 정통성을 부각시키기 위한 나관중의 의도가 들어 있다.

유비는 이 약속을 지켜 군사운용에 관한 모든 권한을 제갈량에게 일임하고, 정책 결정에도 항상 제갈량의 동의를 구하게 되는 것이다.

그러나 이를 못마땅하게 여긴 의형제 관우와 장비가 불만을 표출하자, 유비는 "내가 제갈량을 만난 것은 물고기가 물을 만난 것이다."라는 한마디 말로 일축시킨다.

이 말대로라면 유비가 물고기이고 제갈량은 물이 된다. 누가 물이고 누가 물고기이면 어떻겠는가? 물고기는 물이 없으면 살 수가 없고, 물은 훌륭한 물고기가 없으면 좋은 물이라 일컬어지지 못한다. 때문에 '수어지교(水魚之交)'는 '서로 꼭 필요한 사이'를 나타내는 고사성어(故事成語)이다. 고사성어는 말 그대로 '옛날의 사건으로 인해서 만들어진 말'이다.

그러나 처음에는 그 만들어질 당시의 상황에 맞는 의미를 지니며 사용되다가 세월이 흐르면서 생활에 알맞게 변하는 경우가 많은데, 이 '수어지교'도 현대에서는 '서로 떨어져서는 살 수 없을 정도로 가까운 사이'라는 의미로 더욱 많이 쓰이고 있으니 유비와 제갈량의 관계를 의식한 때문인지도 모른다.

우리는 도가(道家)사상을 흔히 노장(老莊)사상이라 부르는데, 이 노장사상은 바로 노자(老子)와 장자(莊子)의 사상을 말한다. 이들의 사상은 흔히 '무위자연(無爲自然)'으로 일컬어진다. '무위자연'은 '인위적인 것이 없는 저절로 그러한 것'을 말하는 것이니 '천지자연의 법칙'을 뜻한다. 때문에 죽고 병듦에 슬퍼할 것도 없고 많고 적음에 마음 쓸 것이 없는 것이다.

노자의 사상을 더욱 세속화하고 발전시킨 사람이 장자이다. 장자에 이르러서 도가사상은 많은 사람들에게 호응을 얻고 널리 전파되었다.

1-4 莊子曰 一日不念善 諸惡皆自起

장자가 말하였다. "하루라도 선을 생각지 아니하면 모든 악함이 다 저절로 일어난다."

1-5 莊子云 於我善者 我亦善之 於我惡者 我亦善之 我既於人 無惡 人能於我 無惡哉

《장자》에 이르기를, "나에게 선한 사람에게도 내가 선하게 하고, 나에게 악하게 하는 사람에게도 나는 선하게 한다. 내가 이미 남에게 악함이 없었다면 남이 나에게 악하게 함이 없을 것이로다!"

장자의 말에 따르면 천지자연의 법칙은 선(善)과 악(惡)이 없는 것이다. 때문에 사람은 선을 행할 수도 악을 행할 수도 있는 것이다. 늘 선을 생각하면 선을 행할 수 있지만 하루라도 선을 생각지 않는다면 자연스럽게 악이 마음속에서 머리를 들고 악을 행하라고 유혹하게 되는 것이다.

장자의 일화에는 이러한 노장사상을 표현하는 것들이 많다.

어느 날 장자가 제자를 데리고 여행을 나섰다. 산길을 가다가 고개에서 쉬고 있는데 마침 나무꾼이 나무를 하러 나왔다. 나무꾼은 재목이 될 수 있는 나무만을 골라서 베고 있었다. 장자는 그것을 제자에게 가리키며 말했다. "제자야, 우리는 저 곳에서 진리를 찾을 수가 있다. 재목이 되지 못함으로 재난을 피하고 오래살 수 있는 것이다."

고려의 명재상(名宰相)이었던 이제현(李齊賢)은 여기에서 느낌이 있어 자기 스스로의 호(號)를 역옹(櫟翁)이라 하여 재목이 못됨으로 오래 살고자 하는 희망을 담았다고 말하고, 자신의 저서를 《역옹패설(櫟翁稗說)》이라고 부르게 된다.

장자와 제자는 산을 내려와 장자의 친구 집에서 머물게 되었다. 친구는 오랜만에 찾아온 장자를 위하여 거위를 잡아 대접하고자 하였다. 하인이 거위를 잡으러 가며 물었다. "주인님. 성한 거위를 잡을까요? 아님 다리를 저는 거위를 잡을까요?" "다리를 저는 거위를 잡도록 하여라."

다음 날 친구 집을 나서서 길을 가는데, 제자가 물었다. "스승님. 어제 산에서는 재목이 되지 못하는 데서 오래 사는 방법을 배우라고 하셨는데, 친구 분 집에서는 재목이 못됨으로 거위가 죽음을 당하는 것을 보았습니다. 무엇을 배워야 할까요?" "음~. 재목과 재목이 되지 못함 사이에서 삶의 지혜를 배우도록 해라."

곧 진리는 한 곳에 머물러 있는 것이 아니라는 말이다. 때문에 공자도 "군자는 때에 적절히 행동해야 한다.(君子時中)"고 말한 것이다.

그러나 내가 모두에게 선을 베풀고 악하게 함이 없다면 그들도 나에게 악하게 함이 없을 것이라고 했다. 이는 역시 이상론을 말한 것이지, 현실에서는 내가 선하게 한다고 상대가 반드시 나에게 선하게 하란 법은 없는 것이다. 우주자연의 법칙은 모든 것이 상대적이고 이상적인 것이다. 그 속에 진리가 있기 때문이다. 도가 사상은 이러한 이상을 추구하는 학문이다. 때문에 항상 선을 생각하면 선을 행하게 된다고 한 것이다. 그러나 인간이 만약 항상 악을 생각하고 있다면 세상이 어떻게 되겠는가? 이를 생각해본다면 왜 항상 선을 생각해야 하는지가 자명해진다.

다음에는 우리가 흔히 낚시꾼으로 더 많이 알려진 강태공의 말이

나온다. 강태공은 사실 이름이 여상(呂尙)이다. 태공(太公)은 할아버지를 높여 부르는 말이니, 여기서는 주(周)나라 문왕(文王)의 할아버지인 고공단부(古公亶父)를 뜻한다. '태공망(太公望)'이란 '태공께서 기다리시던 분'이란 뜻이다.

《사기(史記)》에 보면, 태공이 이르기를 "장차 성인(聖人)이 주(周)나라에 올 것이며, 주나라는 그로 인해 일어날 것이다."라고 하며 오랫동안 기다렸다고 한다.

1-6 太公曰 善事須貪 惡事莫樂

태공이 말하였다. "선한 일은 모름지기 탐하고, 악한 일은 즐기지 말라."

1-7 太公曰 見善如渴 聞惡如聾

태공이 말하였다. "선을 보면 목마른 것 같이 하고, 악을 들으면 귀 먹은 것 같이 하라."

사실 강태공은 선과 악에 대해 강박관념 같은 것이 있다. 이는 집을 나간 그의 아내와의 일화에서도 잘 드러난다.

강태공은 독서를 즐기고 야망이 있었다고 전해진다. 그러나 때와 알아주는 사람을 만나지 못하여 백수(白手)의 나날을 보내고 있었다. 당시 중국은 아직 제대로 개발되지 않아서이기도 그랬겠지만 워낙 땅이 넓다보니 뛰어난 인재가 어디에 숨어 있는지 알 길이 없어서 인

재들이 제대로 발탁되지 못하였을 것이다. 따라서 뛰어난 인재들은 울분을 달래고 세월을 잊기 위하여 낚시터에 모여서 음주와 토론을 일삼았던 모양이다.

강태공은 70이 다 되도록 독서와 음주를 일삼으며 가끔씩 낚시터에 나가 심사를 달래기도 하였다. 그동안 집안 살림과 경제는 아내에게 의존하였을 것이다. 견디다 못한 아내는 결국 황혼이혼을 선택하고 만다.

그러나 딱히 할 일도 없는 강태공은 여전히 독서를 하고 낚시터에서 세월을 낚고 있었던 모양이다. 그러나 그는 독특하게 갈고리 모양의 낚싯바늘을 곧게 펴서 낚싯대를 드리웠는데, 심지어 낚싯바늘이 물에 닿지도 않았다고 전해진다. 당연히 매일 낚시터에 나와서 낚싯대를 드리웠으나, 언제나 고기는 한 마리도 낚을 수가 없었다고 한다. 훗날 누군가 그 이유를 묻자, 일설에는 '세월을 낚고자 한다'고 말했다고도 하며, 일설에는 '세상을 낚고자 한다'고 하였다고 한다. 낚시터에 숨은 인재들이 많다는 소문을 들은 문왕은 낚시터에 강태공을 찾아와 그와 대화를 나눈 후에 그를 책사(策士)로 발탁했는데, 이때 강태공의 나이가 72세였다고 전한다.

이후 강태공은 문왕의 아들인 무왕(武王) 때에 이르러 군사(軍師)의 직책을 맡고 무왕을 도와 은(殷)나라 주왕(紂王)을 몰아내어 천하를 차지하게 되며, 강태공은 공로를 인정받아 제(齊)나라 제후(諸侯)에 봉(封)해져 제나라의 시조가 된다.

아내는 비록 황혼이혼을 했지만 평생을 뒷바라지 한 남편에게 보상을 요구하러 찾아갔다고 한다. 돌아온 아내를 보고 강태공은 갑자기 옆에 있던 물 항아리를 엎어버리고 아내에게 다시 물을 항아리에 주워 담을 수 있으면 당신을 받아들이겠다고 말하였다고 한다.

이는 '복수불반분(覆水不返盆)'이란 한자성어로 후대에 알려져 있다. 곧 '엎어진 물은 다시 주워 담을 수 없는 것이다'라고 해석이 되어, '한 번 결정된 일은 후회해도 돌이킬 수가 없다'란 의미로 쓰인다.

이 얼마나 소심한 복수인가? 평생을 고생하며 뒷바라지를 한 아내에게, 잠시 앞을 내다보지 못하고 황혼이혼을 택한 아내에게 다시 아내의 자리는 되돌릴 수 없다 해도 충분한 보상은 할 수 있는 것이 아닌가? 그리고 어느 여자가 70이 되도록 취직하지 못한 남편이 72세에 취직을 하여 크게 성공할 수 있을 것이란 생각을 할 수 있었겠는가? 아무 일도 하지 않고 오직 독서와 음주와 낚시만을 일삼는 남편과 헤어지고 싶지 않았겠는가?

그러나 강태공은 끝내 남편을 믿지 못하고 남편을 배반하고 집을 나간 아내의 행동을 악이라고 본 것이다. 이처럼 선과 악의 개념도 항상 상대적이며 이기적이다. 자신에게 잘하는 것은 '선'이고, 자신에게 잘못하는 것은 '악'이 되는 것이다. 또한 상대적으로 더 나은 쪽이 '선'이 되는 것이고, 더 나쁜 쪽이 '악'이 되는 것이다.

우리는 흔히 선과 악을 논할 때에 맹자(孟子)의 성선설(性善說)과 순자(荀子)의 성악설(性惡說)을 이야기한다. 맹자는 성선설을 설명하면서 이제 막 엉금엉금 기어 다니기 시작하는 어린아이가 우물을 향하여 가다가 풍덩 빠져서 죽는 순간에 그 광경을 보거나 그 소리를 들은 모든 사람들은 그 아이를 불쌍히 여기는 마음인 측은지심(惻隱之心)이 생기게 되는데, 그것은 그 아이의 부모와 친하거나 그렇지 않거나 또는 명예를 중히 여기거나 그렇지 않거나 또는 그 아이와 친인척 관계에 있거나 그렇지 않거나 관계가 없다. 바로 이러한 남을 불쌍히 여기는 마음은 사람이면 누구나 가지고 있는데, 이러한 '남의 불행을 마음 편하게 그대로 보아 넘기지 못하는 마음인 불인지심(不忍之心)'을 성선설의 근거로 제시하였다.

순자도 비슷한 경우에서 예를 들었다. 겨우 엉금엉금 기어 다니는 어린아이가 어느 날 옆집의 다른 아이가 먹을 것을 가지고 있으면 기어가서 물어뜯고 쥐어뜯으면서 빼앗아 오는데, 누구에게 배운 적도 없고 누가 시킨 것도 아니고 어디서 본 적이 있는 것도 아니지만, 인간은 태어나면서부터 남의 물건을 탐하는 마음인 견물생심(見物生心)이 발생한다고 하면서 이를 성악설의 근거로 제시하고 있는 것이다.

사실 우리에게는 순자의 성악설이 조금 더 친근함과 타당성이 있다고 느껴질 것이다. 바로 현실이기 때문이다. 그러나 성리학(性理學)의 완성자라고까지 불리어지는 주자(朱子)는 이러한 순자를 순수하지 못하다 하고, 맹자를 공자의 사상을 계승한 아성(亞聖)으로 자리매김하였다. 그 이유는 맹자의 성선설이 현실적이지는 않지만 이상을 추구하고 있기 때문이었다. 사람은 누구나 착한 본성을 회복하기 위하여 노력하여야만 밝고 아름다운 세상이 만들어질 수 있다고 여겼던 것이다.

우리는 흔히 퇴계(退溪)를 주리론자(主理論者)라 하고 율곡(栗谷)

을 주기론자(主氣論者)라고 부른다. 이는 퇴계는 훌륭한 임금과 훌륭한 신하와 훌륭한 백성이 존재해야만 모두가 만족하는 이상세계가 가능하다고 보았지만, 율곡은 현실을 인정하고 부족한 부분은 노력으로 극복할 수 있다고 본 것이다. 때문에 퇴계는 세상을 버리고 은 둔하였고, 율곡은 30여 차례나 10만 양병설(養兵說)을 상소(上疏)하였던 것이다. 많은 사람들이 퇴계를 우리나라를 대표하는 가장 위대한 철학자라고 평가하는 것은, 율곡은 현실을 추구하였고 퇴계는 이상을 추구하였기 때문이다.

1-8   馬援曰 終身行善 善猶不足 一日行惡 惡自有餘

마원이 말하였다. "몸을 마칠 때까지 선을 행하여도 선은 오히려 부족하고, 하루만 악을 행하여도 악은 저절로 남음이 있다."

인간이 태어날 때부터 티 하나 없이 맑고 순수한 선(善)을 가지고 태어났으며 이 선을 죽을 때까지 더럽히거나 악에 물들지 않게 지켜나가는 것이 바로 선비정신이며, 인간이 가야할 길임은 자명(自明)하다. 그러나 죽을 때까지 선을 보존하고 실행하여도 선인이라는 평가를 받기는 어렵다. 단 한순간 하루라도 선을 생각지 않는다면 모든 악이 마음 속에서 머리를 쳐들고 단 한순간 하루라도 악을 행하게 되면 그동안의 선행은 잊혀지고 악인이라는 오명을 얻게 되는 것이다.

그러나 진리는 정해져있는 것이 아니다. 다시 황희의 일화를 보자.

어느 날 황희의 며느리와 이웃집 아낙이 크게 다투고 있었다. 마침 황희가 나타나자 이웃집 아낙은 억울하다며 자초지종을 말하였다. 다 들고난 황희는 "당신의 말이 옳소."라며 이웃집 아낙의 손을 들어 주었다. 옆에 있던 며느리가 그런 것이 아니라며 자기의 억울함을 호소하였다. 역시 다 들고난 황희는 "너의 말이 맞구나."라고 며느리를 두둔하였다. 마침 지나가다가 이 광경을 본 황희의 처가 "세상 사람들은 당신이 판결에 뛰어나다고 하는데 오늘 보니 헛소문이었습니다. 이웃집 아낙도 옳고 며느리도 옳다고 한다면 누가 당신을 판결을 잘한다고 하겠소."라고 말하였다. 잠자코 듣고 있던 황희는 "당신 말에도 일리가 있소."라고 하며 빙그레 웃었다고 한다.

바로 앞에서 장자의 일화에서 보듯이 진리가 '재목과 재목이 못되는 사이'에 있듯이 '옳고 그름'도 누가 옳고 누가 그른 것이 분명하게 존재하는 것이 아니고 다만 그 사이에 존재하는 것이다. 사람은 누구에게나 설혹 비율에서는 차이가 있을지 몰라도 반드시 좋은 점과 나쁜 점을 가지고 있다. 그것을 일방적으로 너는 무조건 나쁘다거나 너는 무조건 좋다고 말하는 것은 옳지 않을 것이다. 너의 이러이러한 점은 좋고 이러이러한 점은 나쁘다 라고 해야 옳을 것이다. 다만 지혜로운 자는 상대의 좋은 점만을 보고 그것을 칭찬할 줄 알며, 어리석은 자는 상대의 나쁜 점만을 보고 그것을 헐뜯을 궁리를 하는 것이다.

《명심보감》〈계선편〉의 마지막 문장은 공자의 말로 끝나고 있다. 곧 선과 불선의 이야기를 시작과 끝에 놓아 주제로 삼고 있는 것이다.

1-9 子曰 見善如不及 見不善如探湯

공자께서 말씀하셨다. "선을 보기를 미치지 못할 것 같이 하고, 불선을 보기를 뜨거운 물을 더듬는 것 같이 하라."

이 말은 《논어》〈계씨편〉에 나오는 말이다. '선을 보면 미치지 못할 것처럼 하라는 말'은 곧 끊임없이 '선'을 향해 노력하라는 말이고, '불선을 보면 뜨거운 물을 만지는 것처럼 하라'는 말은 '불선'을 멀리 하라는 말이다. 여기에 공자가 평생 말하고자 했던 이상이 있고 선비정신이 있다.

노자(老子)는 《도덕경(道德經)》에서 "도를 도라고 규정지을 때 진정한 도가 아니고, 이름을 이름이라 규정지을 때 진정한 이름이 아니다.(道可道非常道, 名可名非常名)"라 하였다. 이는 "나는 너를 사랑한다."라고 말하는 순간 이미 사랑이 아닌 것이다. 사랑은 대부분 사랑이 식어버렸거나 사라져 버렸을 때에 느끼게 되는 것이다. 우리가 부모님이 돌아가신 뒤에야 부모님의 사랑을 깨닫는다는 풍수지탄(風樹之嘆)도 이러한 지나간 것에 대한 탄식인 것이다.

선과 악도 그러하다. '선'이라고 규정짓는 순간 '선'이 아닐 수도 있고, '악'이라고 규정짓는 순간 '악'이 아닐 수도 있다. 다만 '선'이라고 믿으며 '선'을 행하려 노력하는 것만이 좋은 사회를 만들고, 발전이 있게 되는 것만은 분명하다.

오늘 강의도 "참 보람되고 유익하여 훌륭했다."라고 느낀다면 제대로 전달되지 못한 것일 수도 있다. 다만 "뭔가 유익한 듯하고 훌륭한 듯한데 분명하게는 모르겠다."라고 했을 때 서로의 마음이 통한 것은 아닐까?

교학상장(敎學相長)
절차(切磋)와 탁마(琢磨)

아무리 귀한 옥이라도 가공을 하지 않은 덩어리인 채로 있을 때에는 아무런 가치가 없어 목욕탕 벽이나 바닥을 장식하는 돌과 같은 취급을 받게 된다. 마찬가지로 아무리 재능을 타고난 사람이라도 학문을 하지 않으면 가공하지 않은 옥과 같아서 아무런 쓸모가 없는 것이다.

2-1　禮記曰 玉不琢 不成器 人不學 不知道
　　　《예기》에 말하였다. "옥은 다듬지 않으면 그릇을 이루지 못하고, 사람은 공부하지 않으면 도리를 알지 못한다."

여기서 '도리(道)'는 '사람의 도리', 곧 '사람이 가야할 길'을 말한다. '잘되는 집안엔 가지나무에 수박 열린다'란 말이 있다. 물론 가지나무에 수박이 열리는 경우는 있을 수 없다. 그래도 혹 가지나무에 수박이 열릴 수 있다면 이는 매우 곤란한 경우가 된다. 순수한 가지나무

31

만으로는 불가능하기 때문이다. 만약 사람의 일이라면 불륜을 의심 받을 일이 되기 때문이다. 가지나무에는 가지가 열려야 하는 것이다. 튼튼하고 실하며 맛 좋은 가지가 열려야 하는 것이다. 가지를 수확하려고 가지를 심었는데 수박이 열린다면 당황스럽고 기분 나쁠 수도 있다.

이 글은 학문을 강조한 글이다. 아무리 귀한 옥이라도 가공하지 않으면 값이 나가지 않는 것처럼 아무리 재능을 타고난 사람이라도 학문을 하지 아니하면 올바른 도리, 곧 인간이 가야하는 길을 알지 못하여 나쁜 인간이 될 뿐이라는 말이다. 훌륭한 사람이 될 자질을 타고났으나 학문을 익히지 않는다면 길을 알지 못하여 방황하거나 아니면 나쁜 사람의 우두머리가 될 수도 있다.

2-1 太公曰 人生不學 冥冥如夜行
태공이 말하였다. "인생에서 학문을 하지 아니하면 어둡고 어둡기가 밤에 행하는 것과 같다."

학문을 하지 않는다고 정말 가로등도 없는 캄캄한 밤에 길을 가는 것과 같겠는가? 꼭 학교에서 공부를 열심히 한 사람만이 인생에서 성공하는 것일까? 우리는 많은 의문을 가질 것이다. 현실은 그렇지 않은 경우가 더욱 많기 때문이다.

그러나 돈을 벌 줄만 알고 쓰는 방법을 모르는 사람들은 대부분 학문을 하지 않은 사람들이다. 물론 모을 줄을 모르는 경우도 많다. 우리는 주변에서 뛰어난 기술이 있어서 많은 돈을 벌면서도 생활이 나아지지 못하는 사람들을 많이 본다. 이들은 오직 돈을 버는 기술만을 배운 것이고 모으거나 쓰는 기술을 배우지 않았기 때문이다. 이런 사람들을 대부분의 사람들은 아무리 돈을 많이 벌어도 부러워하지 않는다. 또 이들은 대부분 행복하지 못하다. 이는 돈을 많이 버는 것에 행복이 존재하는 것이 아니기 때문이다. 행복은 정신에 존재하는 것이니 우리가 찾는 삶의 목표가 바로 '행복'인 것이다. 때문에 캄캄한 밤에 길을 가는 것처럼 아무 것도 보이지 않는 삶을 사는 것이다.

2-2 韓文公曰 人不通古今 馬牛而襟裾

한문공 유가 말하였다. "사람이면서 고금에 통하지 못하면 말과 소이면서 사람 옷을 입은 것이다."

한문공(韓文公)은 당(唐)나라 덕종(德宗) 때의 학자로 중국을 대표하는 문장가이다. 이름은 유(愈)이고 자는 퇴지(退之)이며 당송팔대가(唐宋八大家)의 한 사람이다. 우리가 보통 말하는 고문(古文)을 창시하고 발전시킨 사람이다. 지금(今)도 미래에는 고(古)가 되는 것이니, 고와 금이 둘이 아니고 하나인 것이다. 때문에 고와 금에 통할 수 없다면 사람이라고 말할 수 없는 것이다. 우리나라를 대표하는 문장가인 연암(燕巖) 박지원(朴趾源)은 "옛날을 본받되 변화할 줄 알아야 하고, 새로움을 창조하되 전거할 수 있어야 한다(法古而知變 創新而能典)."고 말한 것이다.

고(古)라는 것은 이미 이루어진 것, 우리가 배우고 본받는 것을 의미한다. 그러나 거기에서 그친다면 그냥 고(古)일 뿐이고 변화할 줄 알아야 고와 금이 통하게 되는 것이다. 마찬가지로 새로운 것(新)을 만든다는 것은 창조이고 발명이며 금(今)이다. 그러나 전거(典據)할 수가 없다면 역시 금과 고가 통할 수 없게 되는 것이니, 사람의 일이 아닌 것이다.

2-3 朱文公曰 家若貧 不可因貧而廢學 家若富 不可恃富而怠學 貧若勤學 可以立身 富若勤學 名乃光榮 惟見學者顯達 不見學者無成 學者 乃身之寶 學者 乃世之珍 是故學則乃爲君子 不學則爲小人 後之學者 宜各勉之

주문공 희가 말하였다. "집이 만약 가난하더라도 가난함으로 인하여 학문을 그만둘 수 없고, 집이 만약 부유하더라도 부유함을 믿고서 학문을 게을리할 수는 없다. 가난하나 만약 학문을 부지런히 하면 몸을 세울 수가 있고, 부자이나 만약 학문을 부지런히 하면 이름이 이에 빛나고 영달한다. 오직 학문하는 자가 현달하는 것을 보았을 뿐이고 학문하는 자가 성공하지 못함은 보지 못했다. 학문은 곧 자신의 보물이고 학문은 곧 세상의 보배이다. 이런 까닭으로 학문하면 곧 군자가 되고 학문하지 않으면 소인이 되니 훗날의 학자들은 마땅히 각자 이를 힘써야 한다."

주문공(朱文公)은 이름은 희(熹)이고 호는 회암(晦庵)이며 문(文)은 시호이다. 우리가 보통 주자(朱子)라고 말하는 사람이며 성리학을 집 대성하였고, 그의 학문을 보통 주자학이라 칭한다. 학문은 경제하고 는 관련이 적다. 가난하거나 부자이거나 관계없이 사람이면 하여야 하는 것이다. 생계를 핑계로 그만두거나 재산을 믿고서 게을리 해서 는 안 된다는 것이다. 가난할수록 더욱 학문을 부지런히 하여야 가난 함을 극복하고 자신을 우뚝 세울 수 있는 것이다. 비록 넘쳐나는 부 유함이 있더라도 학문을 게을리 할 수 없다는 것은, 그 재산을 지키 는 방법도 학문 속에 들어 있기 때문이기도 하지만 존경 받으며 오래 오래 보전할 수 있는 방법도 그 속에 들어 있기 때문인 것이다.

오죽하면 《논어(論語)》에서 공자와 그의 우수한 제자 중 하나인 자 공의 대화를 통해서 피력했겠는가?

자공이 물었다. "가난하면서 아첨함이 없으며, 부자이면서 교만함 이 없으면 어떠합니까?(貧而無諂 富而無驕 何如)"

공자께서 말씀하셨다. "훌륭하다. 그러나 가난하면서 즐거워하고, 부자이면서 예를 좋아하는 것만은 못하구나(可也 不若貧而樂 富而好 禮者也)."

가난하면서 아첨이 없기는 힘든 일이다. 어떤 사람은 "가난은 부끄 러운 일이 아니다. 다만 불편할 뿐이다."라고 말하지만, 그 불편이 사 람을 위축 시키고 비굴하게 만드는 것이다. 비굴하면 아첨하게 되고 아첨하면 소인이 되는 것이다. 때문에 가난하면서 아첨함이 없는 상 태는 인격이 완성된 사람이 아니면 힘들 것이다. 역시 마찬가지로 부유하면 그 부유함을 자랑하고 싶고 그 부유함을 뽐내고 싶어지는 것이다. 그 부유함을 뽐내는 방법은 여러 가지가 있을 것이다. 거대한 집을 소유한다거나 명품 의복에 값비싼 장신구, 명품 구두에 명품 가방을 소지하는 등 자기를 과시할 방법은 많을 것이다. 이외에도 귀족 쇼핑을 하는 방법도 있을 수 있고 값비싼 식사와 호텔에 투숙히는 등 귀족적 해외여행을 할 수도 있을 것이다. 이 모든 것을 교만이라고 하면 지나친 말일까? 만약 이를 절제하고 검소할 수 있다면 역시 인격이 완성된 사람일 것이다.

그런데 공자께서는 이를 훌륭한 행위로 인정하면서도 더욱 바람직한 인간상을 제시하였다. 가난하면서 인생을 즐길 줄 아는 사람과 부자이면서 예를 좋아하여 겸손한 사람을 최고의 인간으로 규정한 것이다. 여기에서 자공은 공자의 제자 중에서도 공자의 인정을 받을 만큼 훌륭한 제자이다. 원래 자공은 가난한 사람이었으나 후에 아주 부유하게 되었다고 한다. 결국 자공도 공자의 말씀에 《시경(詩經)》에 나오는 "절차탁마(切磋琢磨)"라는 말을 인용하며 무릎을 꿇는다. 물론 절차탁마의 뜻은 학문은 끝이 없는 것이라서 더욱 심오한 과정이 숨어 있다는 말이지만, 가난하면서 아첨하지 않는 상태도 인격 완성을 이룬 자만이 가능한 일인데 가난하면서 인생을 즐길 줄 아는 더욱 심오하고 뛰어난 세계가 있다는 것을 알려준 것이고, 부자이면서 교만하지 않는 자체도 인격의 완성을 이룬 자만이 가능한 일이지만, 부자이면서 예를 좋아하는 심오하고 뛰어난 세계가 존재함을 일깨워주어 더욱 학문에 정진하게 한 것이다.

2-4 莊子曰 人之不學 如登天而無術 學而智遠 如披祥雲而
觀靑天 登高山而望四海

장자가 말하였다. "사람이 학문하지 아니함은 하늘을 오르는
데 기술이 없는 것과 같고, 학문하여 지혜가 원대해짐은 상서
로운 구름을 헤치고 푸른 하늘을 보며 높은 산에 올라가 사방
을 바라보는 것과 같다."

그러면 사람이 살아가는 데 학문을 하지 않으면 어떻게 될까? 장
자는 학문 하지 않는 것을 당시의 현실을 들어 절박하게 표현하였다.
하늘을 오르고자 하는 사람이 아무 기술도 없는 격이라는 것이다. 스
스로 날개가 생길 수도 없을 것이고, 당시에 비행기를 만들 단계도
아니었을 것이다. 바로 아무 대책도 없이 무조건 하늘에 오르겠다는
생각만 가지고 있다는 것이다. 신이 아니면 미친 사람인 것이다.

여기서 '상운(祥雲)'은 '상서로운 구름'이라고 해석이 되는데, 봄과
여름에 하늘에서 자주 볼 수 있는 얇은 뭉게구름을 말하는 것이다.
솜털처럼 기분이 좋으면서도 맑은 날씨를 유지시켜주고 곧 사라지며
푸르고 맑은 하늘을 보여주어 사람들에게 좋은 일이 생길 것 같은 느
낌을 주는 구름이다. 또 '사해(四海)'는 '온 세상'을 나타내는 말이다.
따라서 '망사해(望四海)'는 '온 세상을 굽어보는 것'을 의미한다. 학문
을 하여 지혜가 원대한 데에 이르게 되면 이런 기분을 느낄 거라는
말이다.

2-5   子夏曰 博學而篤志 切問而近思 仁在其中矣

자하가 말하였다. "배우기를 넓게 하고 뜻을 두터이 하며, 묻기를 간절히 하고 생각을 가까이 하면, 어짊이 그 가운데 있다."

사실 학문을 하는 목적은 공자께서 말씀하신 '인(仁)'을 찾는 데 있다. '인'은 곧 '사람이 가야하는 길'을 의미하는 것이다. 그 '인'은 먼 곳에 있는 것이 아니라고 공자께서 제자 중에 학문에 뛰어났다고 인정하신 자하는 말하였다. 다만 학문을 넓게 하고 뜻을 두터이 하며, 묻기를 간절히 하고 생각을 가까운 데서 찾으면 거기에 '인'이 있다는 것이다.

2-6   論語曰 學如不及 猶恐失之

《논어》에 말하였다. "학문은 미치지 못할 것처럼 하고 오히려 이를 잃을까를 걱정하라."

다시 한 번 말하지만 학문의 세계는 끝이 없는 것이다. 그리고 사람의 타고난 재능은 사람마다 차이가 있다. 때문에 어떤 사람은 하나를 듣고 열 가지를 깨달으며(聞一知十), 어떤 사람은 하나를 듣고 두 가지를 깨달으며(聞一知二), 어떤 사람은 하나를 듣고 하나를 깨닫는 것이다(聞一知一).

그러나 사실은 대부분의 사람들이 열 가지를 들으면 겨우 하나나 둘

정도 깨닫는 것이다. 자기가 보고 들은 것만 제대로 기억할 수 있어도 성공할 수 있을 것이다. 이렇게 생각하면 학문은 어려운 일이다.

공자께서는 "태어나서 바로 깨닫는 사람도 있고, 학문하여 깨닫는 사람도 있고, 힘들여서 깨닫는 사람도 있으나, 그 깨달음에서는 한 가지이다(生而知之 學而知之 困而知之 知者一也)."라고 말씀 하셨으니, 결국 인생에서 멈추거나 포기하지 않고 정진할 수만 있다면 결국 목표에 이르게 된다는 말이다.

부자유친(父子有親)
엄부(嚴父)와 자모(慈母)

자기 자식이라고 다 예쁘고 사랑스러울 수는 없다. 어떤 자식은 바라보기도 아까운 경우가 있지만 어떤 자식은 과연 진짜 내 자식일까를 의심하는 경우도 있다. 더한 경우엔 생명을 주었으니 생명을 거둬들이고 싶다는 생각까지도 한다.

3-1 憐兒多與棒 憎兒多與食
아이를 사랑하면 몽둥이를 많이 주고, 아이를 미워하면 음식을 많이 주어라.

아이를 미워하는 경우, 자기 자식이 아니라고 여겨 유전자 검사를 할수도 있을 것이다. 그러나 자기 자식이 확실할 경우, 어찌할 것인가?
그런데 신기하게도 아이는 부모가 자기를 사랑하는지 아닌지를 안다고 한다. 때문에 어머니가 임신을 하여 아이가 뱃속에 있을 때에도 뛰거나 함부로 행동할 경우 아이는 엄마가 자기를 사랑하지 않는다고 여겨서 포기하는 경우가 유산이라고 말하는 의사도 있다. 때문에 부모가 아이를 사랑하지 않는 경우에는 아이는 성격이 비뚤어지거나 행동이 거칠어지는 경우가 많고, 심할 경우는 집을 나가거나 학업을 포기하는 경우는 물론이려니와 부모의 가르침이나 말에 전혀 순종하지 않게 되는 것이다. 그러면 더욱 부자관계는 멀어지고 미움은 쌓여만 갈 것이다.

만약 아이를 사랑하는 경우는 아이의 모든 것이 사랑스러워 아이의 모든 행동을 용서하게 되고, 아이의 모든 요구를 들어주게 된다. 때문에 아이는 예의가 없어지고 자기마음대로 행동을 하게 되고 이역시 정상적인 길을 걷지 못하여 비뚤어진 인생을 가게 될 것이다.

진실로 아이를 사랑한다면 엄하게 교육하여 곧고 바른길을 갈 수 있도록 인도하여야하는 것이며, 아이를 미워하는 경우는 아이를 포용하기 위해서라도 매나 책망보다는 정신적이고 물질적인 무한한 사랑을 쏟아야하는 것이다.

3-2　呂滎公曰 內無賢父母 外無嚴師友 而能有成者鮮矣
　　　여형공이 말하였다. "안으로 어진 부모가 없고, 밖으로 엄한 스승과 벗이 없으면, 능히 성공이 있는 자가 드물다."

누구나 반드시 어진 부모를 만나기는 어렵다. 여기서 어진 부모라는 것은 자식을 사랑할 줄 아는 부모를 말하는 것이다. 어떤 부모가 자식을 사랑하지 않겠는가? 그러나 자식의 입장에서는 다를 것이다. 부모가 자기를 사랑한다는 것을 깨닫기가 어렵다. 자식에게 무조건 '공부 잘해라.' 또는 '그따위밖에 못 하냐?'라든가, '부모는 학교 다닐 때 공부 잘했다.'라고 한다고 해보자.

부모가 자식을 사랑하는 방법에는 여러 가지가 있다. 그러나 자기를 과시하거나 자식을 무시하는 발언을 하는 것이 사랑이라고 말하기는 어렵다. 자식과 사고를 맞추고 기호(嗜好)를 맞추고 바라보는 시각을 맞추어야 하는 것이다. 같은 공감대를 형성하는 것이 바로 이해의 첫걸음이 되고 대화의 첫걸음이 되는 것이다. 그러나 '부모는 자식의 모범이 되어야 하는 것(父爲子綱)'이니 항상 모범적인 말과 행동을 통하여 자식에게 가르침을 주어야 하는 것이다. 자식은 알게 모르게 부모의 모든 것에서 배우고 영향을 받게 되기 때문이다. 때문에 '어진'이란 '모범적인'의 다른 말이 되는 것이다.

중국 최고의 문장가이며 유학자로 알려진 한유(韓愈)는 〈사설(師說)〉에서 "스승이란 성현의 도를 전해주고 학문을 주며, 의혹을 풀어주는 사람"이라고 하였다. 세상에 의혹 없는 사람이 없으니 스승이 없다면 이 의혹을 풀 수 있는 방법이 없다는 것이다.

또한 사람은 벗을 둠으로써 자신의 인(仁)을 돕는 것이니(以友輔仁) 벗이 없다면 어떻게 인(仁)을 완성할 수 있겠는가?

때문에 여기서 '엄한'이란 '제대로'란 말의 다른 표현으로 볼 수 있으니, 제대로 된 스승과 벗을 만나야 여러 의혹들을 풀 수가 있고 인을 완성할 수 있는 것이다.

3-3　漢書云 黃金萬籝 不如敎子一經 賜子千金 不如敎子一藝

《한서》에 이르기를, "황금 만 광주리가 자식에게 한 권의 책을 가르치는 것만 못하고, 자식에게 천금을 물려주는 것이 한 가지 재주를 가르치는 것만 못하다."

　물론 현실에서는 부모로부터 엄청난 재산을 물려받아 아무런 어려움 없이 세상을 떵떵거리며 사는 사람들이 많다. 그러나 가만히 생각해보면 엄청난 재산을 물려받았으나 이를 지키지 못하고 망하는 사람들도 많다. 그리고 우리가 재벌이라 부르는 그들도 자녀들 간의 치열한 경쟁을 통하여 결국은 제일 똑똑하고 뛰어난 자식이 회사를 물려받는 것을 잘 알고 있을 것이다.

　어떤 재벌은 자식 대에 이르러 회사가 망하거나 축소되기도 하며, 끝내는 공중분해 되어버리는 경우를 본다.

　주자의 말대로 부유하다고 학문을 아니할 수는 없는 것이다. 아무리 부유한 사람이라도 자식에게 학문을 제대로 시키지 못하면 다음 세대를 기약하지 못하며, 한 가지라도 제대로 된 재주를 가르치지 않으면 결국 망하는 지경에 이르게 될 것이다.

　재산만 물려주고 그걸 보존하고 발전시키는 기술과 이를 통해 가문을 영원히 빛나게 하고 훌륭한 기업인으로 만드는 것은 학문에 달려있음을 거듭 강조한 것이다.

일일삼성(一日三省)
일신(日新)과 자성(自省)

    모든 책과 글은 맨 앞부분을 기술할 때 가장 신경을 많이 쓴다고 한다. 왜냐하면 독자들은 책을 펼치는 순간 이 책은 무엇을 말하고 싶어 하는지를 알고 싶어 하기 때문이다. 또한 책을 펼치는 순간 흥미진진(興味津津)한 내용들을 기대하고 있는 것이다.

    《논어》의 앞부분은 공자의 가장 중요한 얘기로 시작하고 있다.

4-1   學而時習之 不亦說乎

    배우고 때로 익히면 또한 기쁘지 않겠는가.

4-2   有朋 自遠方來 不亦樂乎

    친구가 먼 곳으로부터 찾아준다면 또한 즐겁지 않겠는가.

4-3   人不知而不慍 不亦君子乎

남이 알아주지 않아도 성내지 않으면 또한 군자가 아니겠는가.

먼저 학문에 대한 이야기이다. 학문이란 실천하기 위해서 하는 것이다. 때문에 항상 충분히 익혀야 사용할 때에 어려움이 없는 것이다. 때문에 현실적인 표현으로 '언행일치(言行一致)'나 '학행일치(學行一致)'라고 표현하는 경우가 많은데, 공자는 다만 말단적인 표현을 삼간 것일 뿐이다.

다음으로는 친구나 동지에 관한 이야기이다. 사람이 세상을 살아가다보면 많은 어려움에 봉착(逢着)하게 된다. 이러할 때에 우리가 난관을 슬기롭게 극복해 나가는 데에 커다란 힘이 되는 사람들이 바로 친구이며 동지인 것이다. 자기와 마음을 같이하는 사람을 친구라 할 수 있고, 자기와 목표와 뜻을 함께하는 사람을 동지라 할 수 있다.

그들이 가까운 곳은 말할 것도 없고 먼 곳에까지 자기를 찾아준다면 이보다 즐거운 일이 어디에 있겠는가. 또 즐거움은 기쁨이 밖으로 표출된 것이라 하니 기쁨이 넘쳐흐르는 것이다.

알아주고 알아주지 않는 것은 남에게 달려있고 성내고 성내지 않음은 자기에게 달려있으니, 자기를 수양함이 깊으면 성내지 않을 수 있을 것이다.

자기 수양이 깊으면 굳이 남이 알아주지 않아도 기쁘고 즐거울 수 있을 것이고, 남이 알아줌은 오히려 자기를 포장하고 과시함이 뛰어난 사람이 능한 일인 것이다. 선비가 어찌 남이 알아주는 것을 위하여 자기의 학문을 팔고 자기를 포장할 수 있겠는가?

다음에는 유자의 말이 나오고, 그 다음에 증자의 말이 나온다. 둘 다 공자의 중요한 제자이고, 또한 증자는 공자의 학통(學統)을 이은 제자이다.

4-4 曾子曰 吾日三省吾身 爲人謀而不忠乎 與朋友交而不信乎 傳不習乎

증자가 말하였다. "내가 날마다 세 가지로 내 몸을 살피는데, '남을 위하여 도모함에 충성치 않았는가?', '붕우와 더불어 사귐에 미덥지 못했는가?', '전수받은 것을 익히지 않았는가?'이다."

증자는 생활목표가 다만 이 세 가지인 것은 확실한 실천을 위하여 가장 중요한 것으로 압축했기 때문이라는 것이다. 그러나 항간에서는 "일일삼성(一日三省)"이라 전해지고 후일에 학자들 중에는 '삼성(三省)'이 꼭 세 가지라고는 보기 어렵고, 세 번으로 보는 것이 더욱 증자의 자신을 살피는 두터움이 드러나는 것이 아니냐?'는 의견이 제시되고 있어, 이 세 가지로 하루에 세 번씩 자신을 살핀다면 더욱 자신을 수양함이 깊어지지 않을까 싶다.

선비가 자신을 수양함이 어찌 꼭 세 번에 그치겠는가? '삼(三)'에는 '여러 번'의 의미가 들어있으니 자주자주 자신을 살피고 수양함이 옳을 것이다.

4-5 景行錄云 寶貨 用之有盡 忠孝 享之無窮

《경행록》에 이르기를, "보화는 씀에 다함이 있지만 충효는 누리어도 끝이 없다."

재물이란 것은 쓰다 보면 언젠가는 바닥을 드러내고 없어지는 것이다. 그러나 충과 효라는 것은 언제나 존재하여 정성을 다하면 아무리 누리어도 끝이 없이 존재하게 된다는 말이다. 사실 유교의 모든 근본은 이 충과 효에 있다고 하여도 과언이 아니다. 그러나 주자는 충과 효가 직접 인(仁)의 근본은 아니며 인(仁)을 실천하는 근본임을 말하였지만, 많은 학자들은 충과 효가 직접 인(仁)의 근본임을 주장하였으니 충과 효의 중요성을 알 수 있다.

4-6 家和貧也好 不義富如何 但存一子孝 何用子孫多

집안이 화목하면 가난해도 좋고 의롭지 못하면 부유한들 무엇하겠는가? 다만 한 명의 자식이 효도함을 보존할 뿐, 자손이 많은 것을 어디에 쓰겠는가.

집안이 보존되고 보존되지 않음이 효도에 달려있다고 본 것이다. 효도하는 자식이 존재하면 집안이 화목하게 되고, 집안이 화목하면 비록 부유하지 않더라도 좋은 것이라는 말이다. 만약 효도하지 않는 자식이 존재한다면 부유함도 아무 의미가 없을 것이며, 자손이 아무리 많아도 결국 집안을 보존시키는 것은 한 명의 효도하는 자식이라는 말이다.

앞에서 강태공(姜太公)의 이야기를 한 적이있다. 72세에 주나라 문왕에게 발탁되어 아들인 무왕을 도와 은나라를 무너뜨리고 주나라를 천하에 우뚝 세웠으며 자신도 제나라의 왕에 봉해져 제나라의 시조가 되었다.

아내가 견디지 못하고 70세 무렵에 집을 나갔으니 선비를 볼 때에는 그 인격과 학문을 보아야지 성공과 성공하지 못함을 보아서는 안 되는 것이다. 때문에 성공한 뒤에 다시 찾아와 보상을 요구하는 아내에게 "복수불반분(覆水不返盆)"이란 따끔한 교훈을 내려 거절하는 것이다. 물론 박정할 수도 있겠지만, 선비를 평가하는 안목을 지니지 못한 아내는 선비의 아내로서 자격이 없다고 보아야하는 것이다. 모름지기 선비의 아내는 부유함과 가난함에 행복의 중점을 두지 말고 화목함과 화목하지 않음에 중점을 두어야하는 것이다. 전에 모방송국에서 상영한 주말드라마인 〈넝쿨째 굴러온 당신〉에서 가난한 가장과 순박한 아내와 공부는 못하지만 착한 아들이 어우러져 화목한 가정을 이루는 광경을 시청자들이 부러워했다. 그들은 가난하지만 항상 화목을 중시하여 남편은 아내와 자식을 먹여살리려 최선을 다하며 자식의 모범이 되고자 애쓰는 한편, 아내는 무조건 남편과 아들을 믿어주며 조그만 행복에도 감격해 한다. 아들은 또 아들대로 성적은 비록 최하위지만 부모의 사랑을 감사해 하며 나름대로 효를 다하려 하는 데서 화목이 생기고 행복이 넘쳐나는 것이다.

4-7　　父不憂心因子孝 夫無煩惱是妻賢 言多語失皆因酒 義斷
　　　親疎只爲錢

부모가 근심하지 않는 것은 자식이 효도하기 때문이고, 남편
이 번뇌함이 없음은 아내가 어질기 때문이고, 말이 많고 말을
실수함은 모두 술 때문이고, 의리가 끊기고 친함이 거칠어지
는 것은 다만 돈 때문이다.

　부모의 근심이 여러 가지가 있겠지만 가장 중요한 근심은 자식 때
문이다. 사실 모든 근심의 근원이 자식인 것이다. 만약 자식이 효도
를 한다면 부모의 뜻을 어길 리도 없겠지만 부모를 기쁘게 하기 위하
여 노력할 것이다. 부모된 사람은 자식이 효도하고 자신의 뜻을 어기
지 않으며 자신을 기쁘게 하기 위하여 노력한다면 나머지 모든 근심
도 다 녹아내릴 것이라는 말이다.

　남편이 번뇌하는 것은 대부분 여자의 바가지 때문이다. 아내가 자
기를 이해하지 못하고 자기를 불편하게 한다면 남편은 항상 불안하
여 번뇌에 번뇌를 거듭하게 될 것이다. 대부분의 남편이 착한 아내를
원하는 까닭이 여기에 있다. 꼭 집안이 가난해야만 착한 아내가 그리
운 것이 아닌 것이다(家貧思良妻).

　술이 사람에게 없어서는 안 된다고 한다. 그러나 과음은 화(禍)를
불러오는 것이다. 평소에 잘 처신하다가도 술만 마시면 상대의 약점
을 건드리거나 상대에게 상처를 주는 말을 하는 경우가 많다. 또는
자리에 없는 사람들을 험담하는 경우가 많으며 어떤 사람은 험담을

안주삼아 술을 마신다고 말할 정도이다. 평소에 잘 처신하여 쌓아온 좋은 인상들을 술과 함께 날려버리는 경우가 많으며, 술자리에서의 이야기는 비밀이 없으니 상대에게 반드시 전달이 되어 낭패를 당하는 경우가 많다.

사람은 누구나 돈이 있을 때는 먼 데까지 친척이 존재하고 돈이 없을 때에는 가까이도 친척이 존재하지 않게 된다. 사람의 의리도 돈 때문에 존재하는 경우가 허다하고, 친함과 친하지 않음이 돈에 의해서 결정되는 경우가 많다. 그렇지 않은 경우는 오직 선비만이 가능하다.

4-8 貧居鬧市無相識 富在深山有遠親
가난하면 시끄러운 시내에 살아도 서로 아는 사람이 없고, 부자이면 깊은 산속에 살아도 먼 곳까지 친한 이가 있다.

가난함과 부유함에 대한 사회의 시각을 보여주는 좋은 예이다. 자신이 가난하면 친척들도 외면을 한다. 그러나 자신이 부자이면 그리 가까운 사람이 아닌데도 서로들 인연을 주장하면서 가까이하는 것이다.

4-9 人情 皆爲窘中踈
인정은 모두 궁색한 가운데 거칠어지는 것이다.

아무리 아니라고 하여도 자신도 모르게 부유한 사람을 가까이 하고 싶어한다. 세상을 살면서 혹 도움을 받을 수도 있기 때문일 것이다. 그러나 가난하고 힘이 없는 사람과는 자기가 손해를 봤으면 봤지 도움을 받을 일이 없다고 여기는 것이다. 세상을 살아가는 힘이 바로 정신에 있음을 알지 못하는 것이니 참으로 안타까운 일이다.

4-10 疑人莫用 用人勿疑
사람을 의심하면 쓰지 말아야 하고, 사람을 썼으면 의심하지 말라.

우리는 상대에 대한 확신이 없으면서도 상대와 거래를 하거나 대화를 하거나 친구가 된다. 물론 사회가 그렇다고 한다면 할 말이 없다. 그러나 모든 것은 자기가 만들어가는 것이다. 먼저 자신에 대한 믿음을 가져야 하고, 다음으로는 남을 믿어야 한다. 비록 속는 한이 있어도 믿은 사람은 잘못이 없다. 우리 사회는 판단기준이 잘못되어 있다. 상대를 속인 사람보다 상대에게 속은 사람을 더 바보 취급을 하고 모자란 사람으로까지 여긴다. 사실 속은 사람은 상대를 끝까지 믿었기 때문에 속은 것이다. 사기꾼이 사기를 칠 수 있는 까닭도 사람의 이러한 심리를 이용하기 때문이지만 믿은 사람에게 잘못을 돌리는 것은 잘못이다. 너무 착하기 때문에 사기를 당하는 것이다.

우리는 불신의 시대에 살고 있다. 내가 나를 믿지 못하고 상대를 믿지 못하는 것이다. 때문에 사람을 쓰고도 믿지 못하여 항상 의심하고 감시하며 불안해한다. 차라리 믿음이 없으면 쓰지 말아야하는 것이다.

그런데 더욱 한심한 일은 사람을 쓰고도 계속 의심이 남아 불안해하는 일이다. 사람을 써서 일을 맡겼으면 그 사람을 믿어야 하는 것이다. 그래야 그 사람도 일을 제대로 할 수가 있고, 일을 맡긴 사람도 편안할 수 있을 것이다.

4-11 未歸三尺土 難保百年身 已歸三尺土 難保百年墳
아직 삼척의 흙(무덤)에 들어가지 않아서는 백년의 몸을 보전하기 어렵고, 이미 삼척의 흙에 돌아가서는 백년의 무덤을 보전하기 어렵다.

사실 요즘에 의학이 발달하고 사람들이 건강에 신경을 많이 써서 수명이 많이 연장되었다. 때문에 백년을 넘게 사는 사람들도 많아지게 되었다. 그러나 아직도 인간은 아무 병이나 사고가 없이 백년의 수를 누리는 사람은 많지 않을 것이다. 백년이 길다면 긴 세월이지만 영원한 우주자연에 비긴다면 아주 짧은 시간임이 틀림없다. 그 짧은 인생을 아무 병이나 사고 없이 사는 것도 정말 어려운 일인 것이다.

또한 죽어서 비록 화려한 무덤에 묻힌 사람일지라도 그 무덤이 백년을 간다고 보장하기 어렵다. 우리는 예전의 귀족이나 고관들의 무덤이 흔적도 없이 사라지거나 비석이 이리저리 굴러다니는 것을 흔히 볼 수 있고, 비록 흔적이 남아있다 하여도 누구하나 찾아주는 사람이 없어 풀이 무성하거나 황폐해져 있는 것을 볼 수가 있다. 이는 덕을 쌓는 것이 얼마나 중요하고 자손을 제대로 가르쳐야 하는 지가 얼마나 중요한 지를 깨닫게 해주는 좋은 교훈이 아닐 수 없다.

4-12 欲知未來 先察已然

미래를 알고자 하면 먼저 이미 그러했던 것을 살펴야 한다.

사람은 미래를 알 수가 없다. 어떤 사람은 《주역(周易)》에 능통하면 미래를 안다고 하고 신과 접촉할 수 있어 미래를 볼 수 있다고도 한다. 그러나 믿을 수 없는 일이다. 다만 그들은 그 사람이 이미 그러했던 것을 미루어 미래를 짐작할 뿐인 것이다. 과거는 미래를 보는 거울인 것이다. 이미 그러한 사람은 아무리 세월이 흘러도 크게 변하지 않기 때문이다.

4-13 子曰 明鏡所以察形 往古所以知今

공자께서 말씀하셨다. "밝은 거울은 형체를 살피는 방법이 되고, 지나간 옛날은 지금을 아는 방법이 된다."

밝은 거울을 예로 들은 것이다. 밝은 거울일수록 자신의 몸을 잘 살필 수가 있다. 여기서 밝은 거울은 자신을 들여다보는 맑은 마음일 수도 있을 것이다. 그러나 지금의 자신을 살필 수 있는 것은 이미 지나간 자신의 과거인 것이다. 지금까지 자신이 행해온 발자취가 자신의 지금을 결정하기 때문이다.

4-14 自信者 人亦信之 吳越皆兄弟 自疑者 人亦疑之 身外皆
敵國

스스로 믿는 사람은 남도 그를 믿게 되어 오나라와 월나라도
모두 형제가 되고, 스스로 믿지 못하는 사람은 남도 그를 의심
하게 되어 자신 외에는 모두가 적국이 된다.

　　오직 자신을 믿는 자만이 성공할 수가 있다. 먼저 자신을 믿으면
다른 사람들도 자신을 믿어주게 되는 것이고, 하나둘씩 믿어주다 보
면 온 세상이 모두 그를 믿게 되어 결국에는 오나라와 월나라 사람들
처럼 원수지간에도 형제처럼 믿음을 갖게 되는 경지에 이를 것이다.
오나라와 월나라가 얼마나 원수지간인지는 꼭 역사를 들먹이지 않아
도 '오월동주(吳越同舟)'나 '와신상담(臥薪嘗膽)' 또는 '회계지치(會稽
之恥)'라는 성어를 미루어보면 잘 알 수 있을 것이다.
　　반면 자신을 믿지 못하는 사람은 다른 사람들도 그를 의심하게 되
어 결국에는 자신 외에는 모두 믿을 수 없는 사람이 될 것이다.

4-15 甚愛必甚費 甚譽必甚毀 甚喜必甚憂 甚藏必甚亡

매우 아끼면 반드시 매우 쓰게 되고, 매우 칭찬하면 반드시 매
우 헐뜯게 되고, 매우 기뻐하면 반드시 매우 근심하게 되고,
매우 간직하면 반드시 매우 잃어버리게 된다.

　　적절하게 살아 간다는 것이 얼마나 중요한 지는 '중용(中庸)'이 얼

마나 어려운 지를 꼭 《중용(中庸)》을 배우지 않아도 이미 잘 알고 있을 것이다. '과유불급(過猶不及)'이나 '불편부당(不偏不黨)' 또는 '유정유일(惟精惟一)'이나 '윤집궐중(允執厥中)'이란 말들은 적절함이 얼마나 어려운 일인지를 잘 알려주는 사자성어이다.

　매우 아끼는 사람은 반드시 매우 쓰게 된다는 뜻은 인간의 운명이 그렇다는 것이다. 심하게 아끼는 사람이 있으면 심하게 쓰는 사람이 있다. 우리가 군이 재벌들의 2세를 보지 않아도, 너무 아끼는 가운데 발생하는 여러 사고들이 반드시 돈을 쓰게 되는 일들을 발생하게 하는 것이다. 마찬가지로 자기를 열심히 칭찬하는 사람은 반드시 자기를 심하게 헐뜯는 것이니 꼭 '만승(萬乘)의 집안에서 그 임금을 죽이는 사람은 반드시 천승(千乘)의 사람이고, 천승(千乘)의 집안에서 그 임금을 죽이는 사람은 반드시 백승(百乘)의 사람이다.'라는 《맹자(孟子)》의 말을 빌리지 않아도, 자기가 잘 나갈 때에는 입에 침이 마르도록 자기를 칭찬하며 충성을 다하던 사람이 자기가 권력을 잃거나 곤란에 처하게 되면 반드시 배반을 하여 자기를 가장 열심히 헐뜯게 되는 것이다.

4-16 諷諫云 水底魚天邊雁 高可射兮低可釣 惟有人心咫尺間
咫尺人心不可料
《풍간》에 이르기를, "물밑의 물고기와 하늘가의 기러기는 높은 것은 쏠 수가 있고 낮은 것은 낚을 수가 있으나, 오직 사람의 마음이 지척 간에 있으나, 지척의 사람 마음을 헤아릴 수 없구나."

우리가 아무리 친한 사람이라도 그 사람의 마음은 알 수가 없다. 서로 목숨을 줄 수 있는 사이라고 말을 하여도 진실로 그 사람의 마음을 알 수 있는 것은 아니다. 그 상황을 닥쳐보아야 알 수가 있는 것이다. 다른 사물들은 모두 여러 가지 방법으로 가늠해 볼 수 있지만, 사람의 마음은 무엇으로도 헤아릴 수가 없는 것이다.

4-17 畫虎畫皮難畫骨 知人知面不知心
호랑이를 그린다 함은 가죽을 그리는 것이지 뼈를 그리기는 어렵고, 사람을 안다 함은 얼굴을 아는 것이지 마음을 아는 것은 아니다.

어떤 사람이 호랑이를 그린다고 하면 그것은 가죽의 아름다움을 그린다는 뜻이지 뼈까지 그릴 수 있다는 뜻이 아니라는 것이다. 마찬가지로 사람을 안다고 하면 그 사람의 얼굴을 안다는 뜻이지 그 사람의 마음을 안다는 것이 아니라는 말이다. 그처럼 사람의 마음은 알기가 어려운 것이다.

4-18 不經一事 不長一智
한 가지 일도 경험하지 못하면, 한 가지 지혜도 자라지 못한다.

군이 말하지 않아도 인생에서 경험만큼 중요한 것이 없다. 때문에 '젊어서 고생은 사서도 한다.'라는 속담이 있는 것이다. 사람은 수많은 경험을 통하여 수많은 교훈을 얻는다. 물론 모든 것을 경험할 수는 없기에 독서를 통하여 간접경험으로 얻는 경우도 많을 것이다. 때문에 독서가 중요한 것이다. 그러나 자신이 실제로 경험한 것과 경험하지 않은 것은 커다란 차이가 있다. 몸소 경험하며 깨달은 교훈은 깊이 새겨지고, 또한 여러 경우의 변수를 생각할 수 있지만 간접으로 얻어지는 경험은 주어진 그대로의 방식밖에 알 수가 없고 그나마도 완전하게 확신할 수는 없는 것이다. 또한 경우에 따라 발생하는 여러 변수에 대해서도 대처할 만한 지식을 얻기는 어려울 것이다.

아무리 '타산지석(他山之石)'으로 자기의 옥(玉)을 다듬을 수 있다 하여도 한계가 있는 것이다.

4-19　疏廣曰 賢而多財則損其志 愚而多財則益其過

> 소광이 말하였다. "현명한데 재물이 많으면 그 뜻을 깎이게 되고, 어리석은데 재물이 많으면 그 허물을 더하게 된다."

소광은 당(唐)나라 때 사람이다. 뛰어난데도 재물이 많아지면 자신의 목표가 흔들린다는 말이다. 재물로 인하여 욕심이 생기고 공부에 게을러질 확률이 높아지는 것이다. 하물며 어리석은 사람은 어떠하겠는가? 재물이 없어도 허물이 많은데 재물이 많아지면 재물로 인한 허물까지 더해지는 것이다.

선비정신이라고 하면, 조선시대의 고지식하고 보수적인 고리타분한 사람을 생각할 수 있다. 그러나 그것은 겉모습을 이야기하는 것이지 정신을 말하는 것은 아니다. 현대에 이르러서 다시 선비를 말하는 것은 바로 육체적인 겉모습이 아닌 정신세계를 말하는 것이다. 선비다운 자존심과 선비다운 처세는 현대를 사는 사람들에게 새로운 인간의 길을 제시할 수 있을 것이다.

4-20 子曰 士志於道而恥惡衣惡食者 未足與議也

> 공자께서 말씀하셨다. "선비가 도에 뜻을 두고서 거친 옷과 거친 음식을 부끄러워하는 자는 아직 더불어 도를 의론하기에는 부족하다."

선비는 재물에 구애받지 않는다. 때문에 겉을 꾸미거나 좋은 음식을 맛보는 것에 관심을 두어서는 안 된다. 좋은 옷과 맛있는 음식을 먹는다고 선비가 아니라는 말은 아니다. 다만 맛있는 음식과 좋은 옷에 뜻이 흔들리지 않아야 하는 것이다. 만약 재물에 뜻이 흔들려 남루한 의상에 신경이 쓰이거나 조촐한 음식에 부끄러움을 느낀다면, 아직은 선비라고 말할 수 없는 것이다. 때문에 그러한 사람과 더불어 도를 논하는 것은 아직은 자격이 되지 못한다고 본 것이다.

4-21 荀子曰 士有妬友則賢交不親 君有妬臣則賢人不至

> 순자가 말하였다. "선비가 투기하는 벗이 있으면 어진 친구가

가까이하지 못하고, 임금이 투기하는 신하가 있으면 어진 신하가 이르지 못한다."

너무나 당연한 이야기이다. 그러나 사람들은 자기에게 정성을 다하고 친절을 베풀며 아첨하고 칭찬하는 사람을 가까이하는 경우가 많다. 그러나 이들은 자신 말고 다른 사람이 자기보다 가까이하는 것을 싫어할 뿐만이 아니고 그러한 사람을 적으로 생각하며 배척하는 경우가 많아 다른 사람의 접근을 꺼리게 된다. 때문에 더 좋은 친구를 사귈 기회를 차단당하게 되고, 윗사람에게는 더 좋은 부하를 만날 기회가 사라지는 것이다. 꼭 그사람의 방해가 아니더라도 주변에 그러한 사람들이 많아지면 자연히 정직한 사람과 훌륭한 사람들은 멀어지는 것이다.

4-22　天不生無祿之人 地不長無名之草
하늘은 녹이 없는 사람을 낳지 아니하고 땅은 이름없는 풀을 자라게 하지 않는다.

운명이다. 만약 하늘이 인간을 세상에 나오게 한다면 반드시 그 인간이 세상에 필요하기 때문이다. 다만 사람들이 자기가 태어난 사명을 깨닫지 못하거나 사명을 잊어버리거나 게을리 하는 것일 뿐이다. 마찬가지로 땅도 이 세상 어디엔가는 필요하기 때문에 풀을 자라게 하는 것이다. 때문에 필요 없는 풀을 자라게 하지 않을 것이란 말이다.

사람은 누구나 이 세상에 필요에 의해 태어나는데 자신이 그것을 깨닫지 못하는 것이다.

4-23　大富由天 小富由勤
큰 부자는 하늘에서 연유하는 것이며 작은 부자는 부지런함에서 연유하는 것이다.

사람이 인생을 살면서 가장 바라는 것 중에 하나가 부유함일 것이다. 그러나 누구나 노력한다고 모두 부자가 되거나 재벌이 되지는 않는다. 큰 부자는 운명이기 때문이다.

정직하게 절약하며 저축하다 보면 어느 순간 부유하게 될 수도 있다. 그러나 그것은 조금 넉넉한 삶을 사는 데엔 지장이 없으나 큰 부자가 되지는 않는다. 진정한 큰 부자는 부(富)를 유지할 능력이 있고, 세상과 사회를 위해 운용할 수 있는 자인 것이다. 때문에 하늘이 이를 낸다고 말한 것이다.

4-24　巧者 拙之奴 苦者 樂之母
재주 있는 사람은 재주 없는 사람의 노예이고, 고생이란 것은 즐거움의 어머니이다.

아주 재미있는 말이다. 실제로 재주가 많고 공부를 잘하는 사람은 그 재주와 학문을 사용하기 위하여 재주가 없는 곳과 공부하지 못한 곳에서 자신의 능력을 발휘하게 되는 것이다. 때문에 재주 없는 사람의 노예라고 표현한 것이지, 진짜 재주 없는 사람의 노예가 된다는 말은 아니다. 또한 고생을 즐거움을 만드는 어머니라고 여기기 때문에 그 고생을 참을 수 있는 것이다. 만약 평생 고생만 하고 성공이 오지 않으며, 절대 고생에서 벗어날 수 없다면 누가 고생하며 노력하겠으며 고생을 참고 견디겠는가? 범죄라도 저질러 고생을 벗어나고자 할 것이다.

4-25 小船不堪重載 深逕不宜獨行
작은 배는 무겁게 실리는 것을 견디지 못하고, 깊숙한 작은 길은 혼자 다니기에 마땅하지 못하다.

자기가 작은 배가 될 것인지 큰 배가 될 것인지는 자신에게 달렸다. 자기 자신을 수련하여 큰 배가 된다면 아무리 무거운 물건이라도 실을 능력을 갖추게 되는 것이다. 마찬가지로 우거지고 작아진 길을 만들면 누구나 다닐 수 있는 길이 되지 못하는 것이다. 결국 자기 학문은 자기 스스로를 위하는 것이다. 자기 스스로를 닦아 어떠한 물건이라도 담을 수 있는 그릇을 만든다면(君子不器) 기회는 반드시 찾아오는 것이다.

생사유명(生死有命)
천명(天命)과 순명(順命)

동양철학에서 '운명론(運命論)'은 찬반의 의론이 분분(紛紛)하다. 운명론을 믿는 사람들은 이미 운명이 정해져 있기 때문에 부질없이 노력하며 살지 말라고 한다. 맞는 말이다. 아무리 높은 지위에 있고 부유함을 소유해도 수명은 정해져 있다는 말이다. 그리고 부귀가 하늘에 달려있다는 말도 좋은 환경을 타고 나거나 같은 노력을 해도 부자가 되는 사람이 있고 그러지 못한 사람이 있으며, 같은 병에 걸려도 어떤 사람은 살아나고 어떤 사람은 살아나지 못하는 경우를 보면, 어느 정도 일리가 있다.

《명심보감》의 〈천명편(天命篇)〉과 〈순명편(順命篇)〉은 맹자의 말로 시작하고 있다. 맹자는 공자의 사상과 학문을 계승 발전시킨 사람으로 주자에 의해 평가받는 사람이다. 때문에 유가에서는 공자 다음으로 숭상하는 인물이 맹자이다.

5-1 孟子曰 順天者存 逆天者亡

맹자가 말하였다. "하늘을 따르는 사람은 보존하고 하늘을 거스르는 사람은 망한다."

맹자는 유가에서 공자 다음으로 추앙을 받는 인물이다. 맹자를 생각하면 일반적으로 제일 먼저 떠오르는 것이 성선설(性善說)과 왕도정치(王道政治)일 것이다.

왕도정치는 '인의정치(仁義政治)'를 말하는 것인데, 쉽게 표현하면 맹자가 말한 '여민동락(與民同樂)'이다. '여민동락'은 《대학》에서 말하는 '친민(親民)과 깊은 관련이 있다.

맹자의 말은 천명(天命)을 따르는 사람은 자기의 모든 것을 보존하고, 천명을 거스르는 사람은 어떻게 해도 결국은 망한다는 말이다. 물론 이것은 이상론이다. 먼저 결론을 앞에 내세우고 운명론을 시작하고 있는 것이다.

5-2 子夏曰 死生有命 富貴在天

자하가 말하였다. "죽고 사는 것은 운명에 있고 부유하고 귀한 것은 하늘에 달려 있다."

인간의 수명은 태어날 때 이미 정해져 있다는 말이다. 또한 부유함과 귀함도 하늘에 달려 있어서 사람의 노력과는 상관이 없다는 말이다. 이 얼마나 절망적인 말인가? 아님 욕심을 버리라는 말일까?

5-3 萬事分已定 浮生空自忙

모든 일은 이미 분수가 정해져 있는데 부질없는 인생이 헛되이 스스로 바쁘다.

우리나라 대표적 문장가이며 대표적 실학자인 연암(燕巖) 박지원(朴趾源)의 문장인 〈이몽직애사(李夢直哀辭)〉에 보면, 천기(天氣)를 내다보는 사람이 어떤 여자를 점쳐서 "소에게 받히는 것을 조심하라"라고 말하였다고 한다. 어느 날 여자가 귀이개로 귀를 파다가 갑자기 열리는 문에 받쳐 귀이개에 찔려 죽었는데, 그 귀이개를 살펴보니 소뿔로 만든 것이었다고 하였다. 또 수명을 점치는 사람이 어떤 남자에게 "쇠를 먹고 죽을 것이다"라고 말하였다고 한다. 어느 날 남자가 아침밥을 먹다가 숟가락을 삼키고 죽었다고 하였다. 연암은 "소는 아녀자가 가까이하는 가축이 아니고, 쇠는 사람이 먹는 물건이 아니니, 운명이 그러한 것이다."라고 하였다.

정말 운명이 정해져 있다면 아무리 노력해도 소용없는 일이고, 진실과 거짓도 의미가 없을 것이다.

그러나 여기서 말하는 명(命)은 수명(壽命)에 한정하는 말이고, 운명 전체를 가리키는 것은 아니다.

5-4 時來風送滕王閣 運退雷轟薦福碑

하늘의 때가 오니 바람이 등왕각으로 보내고 운수가 쇠퇴하니 우레가 천복비를 때리었다.

등왕각은 당(唐)나라 고조(高祖)의 아들인 이원영(李元嬰)이 홍주자사(洪州刺使)로 재직(在職)할 때에 양자강 유역 남창(南昌)에 지었던 것인데, 나중에 등왕(滕王)이 되었으므로 등왕각이라 불리었다. 후에 그곳 도독인 염백서(閻伯嶼)란 사람이 중수(重修)하고 잔치를 열었는데, 왕발(王勃)이란 사람이 바람에 힘입어 하루에 남창 700여 리를 날아가 〈등왕각서(滕王閣序)〉를 지어 문명(文名)을 세상에 드날리게 되었다고 한다.

　천복비(天福碑)는 강서성(江西省) 천복사(天福寺)에 있는 비인데, 일설에는 중국의 유명한 서예가인 구양순(歐陽詢)의 글씨를 새긴 것이라고 한다. 구래공(寇萊公)의 문객 한 사람이 몹시 가난하게 지내므로 어떤 사람이 그 천복비의 탁본(拓本)을 떠오면 후한 사례를 하겠다고 하였다 한다. 그런데 그 사람이 천신만고(千辛萬苦) 끝에 그곳에 다다랐을 때는 한밤중이었고 비바람이 몹시 흉흉하여서 다음날 날이 밝기를 기다렸는데, 날이 밝아 찾아가보니 밤사이 우레가 비석을 깨뜨려서 탁본을 뜰 수가 없어 낭패(狼狽)를 보았다고 한다.

　이 이야기 역시 운명은 정해져 있어서, 운이 좋은 사람은 어떻게 해도 그 명성을 얻고, 운이 없는 사람은 어떻게 해도 낭패를 본다는 것이다.

　어찌 보면 다른 이야기 같지만, 결국은 '명(命)'과 '천(天)'은 모두 우주자연의 법칙으로 정해져있는 것이니, 곧 착한 일을 하면 반드시 복을 받고, 악한 일을 하면 반드시 재앙을 받는다는 것과 같은 것이다.

　여기서 천(天)은 곧 명(命)을 말하는 것이고, 또 명(命)은 곧 도(道)

를 말하는 것이니, 천명(天命)과 천도(天道)와 천리(天理)가 같은 말이다. 주자의 말에 따르면 결국 천성(天性)도 같은 말이 된다.

이는 태어날 때부터 타고난 성품을 말하는 것이고, 우주자연의 자연스런 법칙을 말하는 것이다. 또한 이는 이상적인 삶을 말하는 것이고, 인간이 가야할 길을 말하는 것이다.

그러나 인간이 그 타고난 운명을 알지 못하고, 수명을 늘이려고 하거나, 운명을 바꾸려고 하는 것은 부질없는 일이라는 것이다.

5-5 列子曰 癡聾痼啞家豪富 智慧聰明却受貧 年月日時該載定 算來由命不由人

열자가 말하였다. "어리석고 귀먹고 고질병이고 벙어리라도 집이 크게 부유하고, 지혜롭고 총명하여도 도리어 가난함을 받는다. 연월일시가 모두 처음에 정해졌으니 점쳐보면 운명으로 말미암고 사람으로 말미암지 않는다."

하늘의 법칙은 천명이며 천도며 천리이다. 악을 행하는 자를 사람은 어떻게 할 수 없어도, 하늘은 반드시 징계를 가한다.

5-6 益智書云 惡鑵若滿 天必誅之

《익지서》에 이르기를, "악의 두레박이 가득차면 하늘은 반드시 그를 벌한다."

하늘의 법칙도 한 번의 악을 가지고 바로 징계를 가하지는 않는다
는 것이다. 물론 본의 아닌 경우도 있을 것이다. 또는 자그마한 악일
수도 있을 것이다. 그러나 그것이 쌓이고 넘친다면 비록 사람은 어찌
할 수 없어도 하늘은 반드시 그를 징계한다는 말이다. 이것이 바로
하늘의 법칙이고, 이 법칙을 지키려는 것이 바로 선비정신인 것이다.

5-7 莊子曰 若人作不善 得顯名者 人雖不害 天必戮之
장자가 말하였다. "만약 사람이 불선을 만들어 드러난 이름을
얻는 자는 사람들은 비록 해하지 못하나 하늘은 반드시 그를
벌한다."

장자도 불선으로 드러난 이름을 얻는 것은 잘못된 것으로 본 것이
다. 때문에 사람들은 그를 어찌하지 못하여도 하늘은 반드시 그를 벌
한다는 것이다. 이는 바로 하늘의 법칙이다. 선행을 하여 드러난 이
름을 얻는 것을 하늘의 법칙으로 본 것이다.

5-8 子曰 獲罪於天 無所禱也
공자께서 말씀하셨다. "하늘에 죄를 얻으면 빌 곳도 없다."

공자는 어렸을 때 늘 놀이를 하며 놀았는데, 제기(祭器)를 진열하
고 예를 갖추는 흉내를 내었다고 한다. 때문에 맹모삼천지교(孟母三
遷之敎)에도 맹자 어머니가 자식 교육을 위하여 세 번째로 이사를 간

곳이 학교 옆이었는데, 맹자가 제기를 설치하고 예를 갖추는 흉내를 내자, "바로 이곳이야말로 내 자식이 거처할 만한 곳이다."라고 했다고 하니 공자의 행동을 흉내 낸 것에 흡족했던 것이다.

공자가 자신의 조국인 노(魯)나라가 자기를 박대하자 노나라를 떠나 위(衛)나라에 가서 영공(靈公)을 만났다. 영공과 상당히 뜻이 맞았으나 측근들의 반대로 등용되지는 못하였다.

위나라 권신(權臣)인 왕손가(王孫賈)가 임금에게 잘 보이는 것보다는 권신에게 잘 보이는 것이 등용되는 길임을 은근히 말하자, 공자는 임금에게 잘 보이느냐 권신에게 잘 보이느냐가 중요한 것이 아니고 하늘의 법칙을 따를 뿐이라고 말한 것이다. 사실 공자는 비록 권신에게 잘 보이는 것이 등용되는 지름길임을 알고 있었으나, 하늘의 법칙을 따라 임금을 만난 것이고 권신들을 가까이하지 아니한 것이다. 곧 등용될 운명이면 등용될 것이고, 등용될 운명이 아니면 비록 권신에게 잘 보여도 등용되지 않을 것이기 때문에 하늘의 법칙을 따른다는 것이다. 이 하늘의 법칙이 곧 운명이며 선비정신인 것이다.

운명이 이미 정해져 있다는 말은, 운명이란 한 번 정해지면 절대 바꿀 수 없다는 말은 아닐 것이다. 왜냐하면, 아무리 좋은 운명을 받고 태어났어도 환경이 뒷받침해주지 못하거나 도와주는 사람을 만나지 못한다면 성공하기 어려울 것이기 때문이다.

5-9　孟子曰 天時不如地利 地利不如人和

맹자가 말하였다. "하늘의 때는 지형의 이로움만 같지 못하고 지형의 이로움은 사람의 화목만 같지 못하다."

초(楚)나라의 항우(項羽)는 당대의 영웅으로서 마땅히 천하를 통일할 능력을 가졌으나 타고난 운명은 한(漢)나라의 유방(劉邦)에게 있었다. 그러나 유방은 항우를 자그마한 성(城)에 가두고도 여러 달을 이기지 못하고 운명을 의심하기까지 하였다. 이것은 아무리 좋은 운명을 받고 태어났어도 처해진 환경의 영향을 받기 마련이라는 증거이다. 유방이 비록 천하를 통일하라는 운명을 받고 태어났으나, 그 작은 성은 험난한 지형과 충분한 식량과 날카로운 무기와 날랜 병사들이 있었기 때문에 접근조차 할 수 없었던 것이다. 이는 최선을 다한 항우가 병사들에게 "천망아(天亡我)"라고 말하는 것에서도 잘 드러나고 있다.

그러나 책략(策略)의 귀재(鬼才)인 장자방(張子房)은 이러한 유방을 도와 항우를 "사면초가(四面楚歌)"에 몰아넣고 결국은 천하를 다시 유방에게로 돌아오게 하였다. 이는 아무리 뛰어난 환경도 인간의 단합만 같지 못하다는 것을 증명하고 있는 것이다.

운명은 타고나는 것이 분명하지만 인생은 반드시 운명대로만 가는 것은 아니다. 좋은 환경을 만나지 못하면 왕이 될 운명을 타고난 사람도 불량배 두목에 그치고 말 것이다. 그러나 아무리 좋은 환경까지 받쳐준다 하여도 주변에서 도와주는 사람들과 주변사람들의 단합이 없다면 완전한 성공을 거두기가 어려운 것이다.

때문에 "고장난명(孤掌難鳴)"이라거나, "독불장군(獨不將軍)"이라는 말이 있는 것이다.

　우리는 어떠한 운명을 받고 태어났는지 아무도 모른다. 또한 얼마의 수명을 받고 태어났는지도 아무도 모른다.

　비록 정해진 운명이 있다 할지라도 환경에 의해서 변할 수 있고 인간관계에 의해서 변할 수 있다면, 변화의 여지는 충분히 있는 것이다. 노력해 봐야 하지 않겠는가? 현대의 좋은 의학적 환경을 만나서 타고난 수명이 바뀌고 있다고 생각한다면 더욱 그러하다.

문질빈빈(文質彬彬)
자존(自尊)과 자존(自存)

　자기를 높이는 자존(自尊)을 지키면서 처세(處世)를 하기란 어려운 일이다. 잘못하면 거만(倨慢)으로 비춰질 수 있고 더 잘못하면 자기의 모든 것을 잃을 수도 있기 때문이다.

　따라서 자기를 보존하고 지키는 자존(自存)은 무엇보다도 중요할 수가 있다. 그러나 소극적인 자존(自存)에만 신경을 쓴다면 또한 처세의 어려움에 봉착할 수가 있을 것이다.

　자존(自尊)과 자존(自存)이 적절하게 조화를 이루어 문질빈빈(文質彬彬)할 수 있다면 최상의 처세가 될 것이다.

6-1　景行錄曰 知足可樂 務貪則憂
　《경행록》에 말하였다. "만족할 줄을 알면 즐거울 수 있고 탐함에만 힘쓰면 근심한다."

사람이 만족을 안다는 것은 어려운 일이다. 왜냐하면 한계가 정해져 있지 않기 때문이다. 도대체 어디에서 멈춰야하고 어디에서 만족해야 하는지가 분명하지가 않아서, 조금 더를 생각하다보면 지나치기가 일쑤이고, 만족할 시기를 놓쳐버리게 된다.

그러나 적당한 시기와 분량에서 진정으로 만족할 수가 있다면, 인생은 즐거움 그 자체가 되고, 시기와 분량을 지나쳐 계속 가다보면 오직 탐욕에 사로 잡혀 만족을 알 수 없게 되고 항상 이루지 못한 근심만이 가득하게 된다. 어느 상황에서나 만족할 줄을 알아 인생을 즐길 수가 있다면 이는 저절로 품격이 높아지는 것이다.

6-2　知足者 貧賤亦樂 不知足者 富貴亦憂

만족할 줄을 아는 사람은 가난하고 천해도 즐겁고, 만족할 줄을 알지 못하는 사람은 부유하고 귀해도 근심한다.

때문에 적당한 선에서 만족할 줄을 아는 사람은 돈이 없거나 지위가 없어도 만족할 수가 있어서 항상 즐거운 상태가 되어 자기의 품격을 유지할 수가 있고, 만족할 줄을 모르는 사람은 아무리 부유하고 귀하게 되어도 결국은 근심 속에서 지내게 되어 자기의 품격을 지키고자 하여도 불안함을 떨쳐 버릴 수가 없게 되는 것이다. 어떤 상태에서나 만족할 줄을 알게 된다면 인생에 있어서 진정으로 행복할 수 있을 것이고, 항상 여유로운 삶을 즐길 수가 있게 되어 품격있는 삶을 유지할 수 있을 것이다.

6-3　知足常足 終身不辱 知止常止 終身無恥

　　만족할 줄을 알아 항상 만족할 수 있다면 죽을 때까지 욕되지
　　아니하고, 그칠 줄을 알아 언제나 그칠 수 있다면 죽을 때까지
　　부끄러울 것이 없다.

　따라서 만족할 줄을 알아 진정 만족한 삶을 누릴 수 있다면, 죽을
때까지 자신에게 욕되는 일은 하지 않게 되니, 떳떳한 삶을 유지하게
되고, 만족할 줄을 알아 적당한 선에서 그칠 줄을 안다면 죽을 때까지
부끄러운 일이 발생하지 않아 높은 품격을 유지할 수 있을 것이다.

6-4　濫想徒傷神 妄動反致禍

　　넘치는 생각은 다만 정신을 손상시키지만, 망녕된 행동은 도
　　리어 재앙을 부른다.

　우리는 현실에서 이루지 못하는 것들을 가끔은 상상으로 만족을
얻고자 한다. 생각은 자유이기에 누구나 무한한 상상의 세계를 펼칠
수가 있다. 그러나 그러한 상상은 사실은 이룰 수 없는 것이기에 자
신의 정신을 훼손시키는 경우가 많다.
　망녕된 행동이라는 것은 자신의 능력이 미치지 못하거나 이룰 수
없는 것을 이루려고 도모하는 것이다. 때문에 설혹 이루었다 해도 오
래가지 못하고, 이루지 못한 경우에는 엄청난 재앙을 불러오게 된다.

6-5 安分吟曰 安分身無辱 知機心自閑 雖居人世上 却是出
人間

〈안분음〉 시에 말하였다. "분수(주어진 몫)에 편안하면 몸이
욕되지 않고, 조짐을 알면 마음이 저절로 한가롭다. 비록 인간
세상에 거처하나 문득 인간세상을 벗어난다."

〈안분음〉이란 시는 중국 송(宋)나라 때의 시인데, 저자는 미상(未
詳)이다. '안분(安分)'이란 '자기에게 주어진 몫을 편안히 여긴다'라는
의미이다. 자기에게 주어진 몫을 편안히 여긴다면 당연히 자신에게
욕되지 않게 되고, 우주자연의 돌아가는 조짐을 알면 당연히 마음이
한가로울 수 있을 것이다. 이러한 사람은 비록 인간 세상에 거처를
두고 있으나, 신선 같은 생활을 즐길 수가 있을 것이다. 이 얼마나 자
유롭고 행복한 삶이겠는가?

6-6 書曰 滿招損 謙受益

《서경》에 말하였다. "거만하면 손해를 부르고 겸손하면 이익
을 받는다."

6-7 子曰 不在其位 不謀其政

공자께서 말씀하셨다. "그 지위에 있지 않고는 그 정사를 도모
하지 않는다."

거만과 겸손은 상대적이다. 자존(自尊)에서 거만이 나오고, 자존(自存)에서 겸손이 나온다. 조금만 자신을 제어하지 않으면 자존(自尊)이 되어 상대로 하여금 거만한 인상을 주게 되는 것이다. 그러나 자기를 보존하는 방법은 오직 겸손함이니, 겸손하여 손해를 보는 일은 드물 것이다. 때문에 공자는 그 방법으로 자신이 처한 자리가 아닌 경우에는 간여해서는 안된다고 말한 것이다.

자기의 업무가 아닌데도 월권을 하여 일을 처리하는 사람이 많다. 한편으로는 자신의 능력을 뽐내기 위함이고, 한편으로는 윗사람에게 인정받기 위함일 것이다. 그러나 이는 동료를 무시하는 행위이고, 그 직책에 속한 사람을 멸시하는 행위인 것이다. 비록 현재는 인정을 받고 지위가 올라갈 수 있겠지만, 많은 사람의 원망을 사게 되어 가까운 시기에 반드시 재앙을 불러오는 일임을 알아야 할 것이다.

사람이 자존심(自尊心)을 내세우면, 반드시 거만하게 되고, 때로는 위태로움에 처하게 된다. 스스로를 지키고 험난한 인생길에서 살아남는 방법을 자존(自存)이라고 할 수 있으니, 자존심을 버리고 스스로를 굽혀야 한다. 우리는 이를 겸손(謙遜)이라고 부른다.

6-8 　景行錄云 責人者 不全交 自恕者 不改過

《경행록》에 이르기를, "다른 사람을 책망하는 자는 사귐을 온전히 못하고, 스스로를 용서하는 자는 허물을 고치지 못한다."

사람은 누구나 장점과 단점이 있다. 대화란 내가 상대에게 말하는 경우와 상대가 나에게 말하는 경우의 두 가지가 있다. 내가 상대에게 말하는 경우는 물론 사랑이 두터워 상대의 단점을 고쳐주고자 충고를 할 수도 있겠지만 아무리 친한 친구이고 아무리 좋은 충고라도 상대에게는 기분 나쁠 수 있기 때문에 조심하고 또 조심해야 하는 것이다. 따라서 상대의 단점을 말하여 고쳐주기 보다는 장점을 이야기 해 주어 더욱 장점을 살리게 하는 것이 좋을 것이다. 그것이 상대도 기분이 좋고 나도 말하기 좋으며 우정도 더욱 두터워질 것이다.

그러나 자신에게 있어서는 잘못을 알게 되면 바로 고쳐야 한다. 이는 자신을 갈고 닦아 훌륭한 인간이 되는 조건이니, 때문에 공자께서도 훌륭한 사람이 되는 세 가지 조건에서 "충성과 믿음을 주로 하고(主忠信), 자기만 같지 못한 자를 친구하지 말며(無友不如己者), 허물 있으면 고치기를 꺼려하지 말라(過則勿憚改)."를 거론하신 것이다.

삶에 있어서 모든 일에 정성을 다하는 일(忠)은 매우 중요한 일이며 먼저 자신에게 믿음(信)을 갖고 남에게 믿음(信)을 주어야 모든 일이 진행될 것이다. 또한 누구에게나 무엇인가를 배우는 자세는 더욱 중요하여서 "세 사람이 행동하면 거기에 내가 본받을 만한 것이 있다(三人行 必有我師焉)."는 말을 명심하여 모든 사람에게서 그 사람의 장점을 보면 본받고 단점을 보면 자신을 살펴서 자신을 고치는 데에 활용한다면 훌륭한 사람이 되는 것을 기약할 수 있을 것이다.

6-9　范忠宣公 戒子弟曰 人雖至愚 責人則明 雖有聰明 恕己則昏 爾曹 但常以責人之心 責己 恕己之心 恕人 則不患

不到聖賢地位也

범충선공이 자제를 훈계하여 말하였다. "사람이 비록 지극히 어리석더라도 남을 책망하는 데는 밝고, 비록 총명하더라도 자기를 용서하는 데는 어두워지니, 너희들은 다만 항상 남을 책망하는 마음으로 자기를 책망하고, 자기를 용서하는 마음으로 남을 용서한다면 성현의 지위에 도달하지 못할 것을 근심하지 말라."

범충선공(范忠宣公)은 중국 북송(北宋) 때의 재상으로 이름이 순인(純仁)이며 시호(諡號)가 충선(忠宣)이다. 인종(仁宗) 때의 명재상(名宰相)이었던 범중엄(范仲淹)의 둘째 아들이다.

이는 비록 자기 아들과 동생을 훈계하는 말이지만, 모든 사람에게 절실한 것이다. 처세의 비결은 다른 것이 아니다. 다른 사람의 잘못에 대해 철저히 규명하고자하는 마음으로 자신의 잘못을 반성하며 고쳐나가고, 자기의 잘못에 대해 관대히 용서하고자하는 마음으로 다른 사람의 잘못에 대해 관대히 용서할 수 있는 자세, 즉 역지사지(易地思之)할 수 있는 자세에 있는 것이다. 하지만 이를 행할 수 있다면 성현의 지위에 오르는 것을 걱정할 필요가 없다고 했으니 아마도 어려운 일인가 보다.

6-10　以愛妻子之心 事親則曲盡其孝 以保富貴之心 奉君則無往不忠 以責人之心 責己則寡過 以恕己之心 恕人則全交

처와 자식을 사랑하는 마음으로 부모를 섬긴다면 그 효도가 정성을 다할 것이고 부귀를 보전하는 마음으로 임금(국가)을 받든다면 어느 곳을 가나 충성 아님이 없을 것이고, 남을 책망하는 마음으로 자기를 책망하면 허물이 적을 것이고 자기를 용서하는 마음으로 남을 용서하면 사귐을 온전히 할 것이다.

앞에서 말한 입장을 바꾸어 일을 행한다면 누구나 훌륭한 사람이 될 수 있는 예를 제시하였다. 논리상으로는 그러지 않을 거라고 말하지만 대부분의 사람들은 부모에게보다 자신의 아내와 자식에게 더욱 두터운 애정을 가지고 있다. 때문에 아내와 자식을 사랑하는 마음으로 부모를 사랑한다면 그 효도는 정성을 다하게 될 것이라는 말이다. 마찬가지로 사람은 대부분 부유함과 귀함을 소중히 여겨 죽을 때까지 보전하려 하고, 죽은 뒤에도 자손에게까지 물려주고자 한다. 때문에 이러한 부귀를 보전하려는 마음을 가지고 임금과 나라를 생각한다면 어느 곳에 있더라도 충성을 다할 것이라는 것이다. 역시 앞에서 말한 것과 같이 남의 잘못을 가혹하게 책망하는 마음으로 자기의 잘못을 깊이 반성한다면 매사에 허물이 적을 것이고, 자기의 잘못을 너그럽게 용서하는 마음으로 남의 잘못을 포용할 수 있다면 사귐이 온전히 보전될 수 있을 것이다.

그러므로 공자는 비록 뛰어난 사람이라도 그 뛰어남을 감추고 오히려 모자람으로 자신을 보전할 수 있다고 하였다.

6-11 子曰 聰明思睿 守之以愚, 功被天下 守之以讓, 勇力振
世 守之以怯, 富有四海 守之以謙.

공자께서 말씀하셨다. "총명하고 생각이 깊더라도 어리석음으
로 이를 지키고, 공로가 천하를 덮더라도 사양함으로 이를 지
키고, 용기와 힘이 세상을 떨치더라도 겁냄으로 이를 지키고,
부유함이 사해를 소유했더라도 겸손으로 이를 지키는 것이
다."

총명하거나 남들보다 뛰어남은 다른 사람의 시기와 공격의 대상이
된다. 오히려 어리석은 체하면 같이 융화될 수 있어서 자신을 지키는
방법이 되는 것이다. 공로 역시 마찬가지로 비록 자신의 공로가 제일
뛰어나더라도 남의 공로로 돌리고 사양한다면 덕이 두터워지고 존경
을 받게 될 것이다. 용기와 힘도 비록 세상을 떨치더라도 항상 상대
를 가벼이 보지 않고 했더라도 겸손하지 않으면 이를 탐내고 도적질
하려는 사람들로 날마다 근심 속에 살아가게 될 것이니, 자신을 감추
고 사양하며 겸손한 것이 바로 자신을 지키는 길임을 명심해야 할 것
이다.

6-12 施恩勿求報 與人勿追悔

은혜를 베풀었으면 보답을 구하지 말고, 남에게 주었으면 좋
아 후회하지 말라.

6-13 素書云 薄施厚望者 不報 貴而忘賤者 不久

《소서》에 이르기를, "엷게 베풀고 두터이 바라는 자는 보답 받지 못하고 귀함에 천할 때를 잊는 사람은 오래가지 못한다."

《소서(素書)》는 한(漢)나라 때 황석공(黃石公)이 지은 책인데, 황석공은 진(秦)나라 말기 한나라의 책사(策士)인 장량(張良)에게 병서(兵書)를 주었다는 인물이라 전해진다. 우리는 가끔 어려운 사람에게 은혜를 베푸는 기회가 있다.

길거리를 지나가다가 불쌍한 사람에게 적선(積善)을 하는 경우를 예로 들어 보자. 그가 돈이나 재물을 받은 후 힘을 내어 새로운 생활을 찾아나가고 다음에는 성실하게 생활을 영위할 것이라고 생각하는 사람은 없을 것이다. 그냥 측은지심(惻隱之心)으로 도와주는 것일 뿐이지ㄴ 보답이나 결과를 바라지는 않을 것이다. 남에게 은혜를 베푸는 것도 마찬가지이다. 베푸는 것에서 멈추어야지 보답을 바라거나 그 이후의 변화를 기대하는 것은 베푸는 사람으로서는 바람직하지 못한 행동인 것이다. 물론 은혜를 받는 사람의 입장에서는 그 은혜를 잊지 않아야 하고, 또 은혜를 베푼 사람에게 달라진 모습을 보이는 것이 바람직할 수는 있을 것이다.

때문에 은혜를 베풀었으면 보답을 구하지 말아야 함은 당연한 일이고 이미 남에게 주었으면 잊어버려야 하는 것이니, 베풀기는 얇게 하고 보답 받기를 두텁게 하며 하물며 베푼 것을 후회한다면, 이는 베푸는 사람으로서는 덕이 없는 것이다. 그러나 받는 사람의 입장에서는 그 은혜를 절대로 잊어서는 안되는 것이기 때문에 비록 성공한 뒤에라도 그 은혜를 생각하고 꼭 갚아야 하며, 그때를 생각해서 어려운 사람들에게 자신도 베풀 줄을 알아야 한다. 만약 성공한 뒤에 자신이 곤궁하고 어려웠을 때를 잊는다면 비록 성공하고 부유하게 되었어도 오래가지 못할 것은 당연한 일일 것이다.

이는 "빈천지교(貧賤之交)"와도 일맥상통(一脈相通)하니, 가난하고 어려웠을 때를 잊고서 교만하고 방탕하게 생활한다면 당연히 존경받지 못하는 것은 말할 필요도 없고 자신도 위태로움에 처하게 될 것이다. 때문에 항상 조심해야 하고 매사에 관용을 베풀어야 할 것이다.

6-14 念念要如臨戰日 心心常似過橋時

생각할 때마다 요컨대 싸움에 임하는 날과 같아야 하고, 마음 쓸 때마다 항상 다리를 건널 때와 같아야 한다.

인생에서는 어느 한 순간이라도 소홀히 할 수 없는 것이다. 아무 생각 없이 세상을 사는 것도 비참한 일이지만 가벼이 생각하며 세상을 사는 것도 위태로운 일이다. 전쟁에 임하는 날 모든 준비를 갖추고도 비장한 마음으로 하나하나 다시 한 번 점검하는 것처럼 진지하게 생각하고 신중히 행동해야 하는 것이다. 마음을 쓰는 것도 마찬가지이다. 다리를 건널 때 혹시나 발을 잘못 디디지나 않을까 미끄러지지 않을까 조심조심 한 발 한 발을 옮기듯이 마음을 쓸 때에는 신중에 신중을 기하여야 하는 것이다. 이렇게 하는 데도 잘못되거나 실패하는 것이 인생이기 때문이다.

6-15 孫思邈曰 膽欲大而心欲小 智欲圓而行欲方

손사막이 말하였다. "담력은 크게 하고자 하고 마음은 작게 하고자 하며 지혜는 둥글둥글 하고자 하고 행동은 반듯빈듯 하고자 해야 한다."

손사막(孫思邈)은 당(唐)나라 때의 명의(名醫)이다. 당연히 건강하게 오래 사는 비결일 것이다. 담력을 크게 가지라는 말은 모든 일을 과감하게 처리하라는 말일 것이다. 우리는 망설이다가 일을 그르치는 경우가 많다. 자기가 결정하고 옳다고 여겼으면 용감하게 실천해야 하는 것이다. 마음과 몸이 반대로 가거나 마음 속에만 결정해놓고 행동으로 옮기지 않는다면 건강에도 좋지 못할 것이다. 그러나 항상 마음을 쓰는 것은 조심해야 한다. 세밀하게 일일이 점검하고 또 살펴야 할 것이다.

지혜는 남에게 피해를 주거나 남에게 거부감을 주는 경우가 많아 항상 겸손함과 신중함을 동반해야 한다. 때문에 두루두루 원만하게 처리하는 것이 중요하고 행동은 비록 신중하게 해야 하지만 결정이 되고 옳다고 생각이 들면 곧바로 과감하게 실천하는 것이 중요하다. 때문에 지나치거나 모자람이 없이 반듯하게 행하는 것이 필요하다. 모자라거나 넘침이 있으면 반드시 재앙을 부르게 된다.

6-16 寇萊公六悔銘云 官行私曲失時悔 富不儉用貧時悔 藝不
少學過時悔 見事不學用時悔 醉後狂言醒時悔 安不將息
病時悔

《구래공육회명》에 이르기를, "관리가 사사로운 잘못을 행하면
(벼슬을)잃었을 때 후회하고, 부자가 검소하게 쓰지 않으면 가
난해졌을 때 후회하고, 재주는 젊을 때 배우지 않으면 (나이
가)지났을 때 후회하고, 일을 보고 배우지 않으면 쓸 때 후회
하고, 취한 후에 미친 말은 깨었을 때 후회하고, 편안할 때 휴
식을 가지지 않으면 병들었을 때 후회한다."

구래공(寇萊公)은 북송(北宋) 진종(眞宗) 때의 재상으로 성이 구(寇)
이고 이름은 준(準)이며 자는 평중(平仲)이다. 내국공(萊國公)에 봉해
졌기 때문에 '구래공'이라 불리어졌다. 육회명(六悔銘)은 여섯 가지
후회할만한 일을 새겨놓은 것이다. 항상 신중에 신중을 기하여도 후
회할 일이 많이 생기는 것이 인생이니, 미리 미리 준비하고 조심해야
하며 공정해야 하는 것이다. 그렇지 않다면 후회와 재앙 속에 빠지게
될 것이다.

6-17 益智書云 寧無事而家貧 莫有事而家富 寧無事而住茅屋
不有事而住金屋 寧無病而食麤飯 不有病而服良藥

《익지서》에 이르기를, "차라리 일이 없고 가난하게 살지언정
일이 있고 집이 부유하지 말 것이며, 차라리 일이 없고 띠집에

살지언정 일이 있고 금집에 살지 말며, 차라리 병이 없고 거친
밥을 먹을지언정 병이 있고 좋은 약을 복용하지 말아라."

아무리 집이 부유하여 좋은 집에 거처하고 좋은 약을 복용하더라
도 집안에 우환이 있으면 마음이 편안하지 못하여 제대로 즐길 수가
없는 것이다. 차라리 집이 가난하여 띠집에 거처하고 거친 밥을 먹더
라도 집안에 우환이 없다면 행복할 수 있음을 말한 것이다. 행복은
집안의 화목에 있는 것이지 부유함에 있는 것이 아니라는 말이다.

6-18 心安茅屋穩 性定菜羹香
마음이 편안하면 띠집도 평온하고 성품이 안정되면 나물국도
향기롭다.

사람에게 있어서 모든 병과 재앙은 마음이 편안한가 아닌가에 달
려있다. 아무리 좋은 집에 거처하고 높은 자리를 차지해도 마음이 편
안치 못하면 병이 찾아온다. 스트레스의 대부분은 마음이 편안치 못
하기 때문이다. 때문에 마음이 편안하다면 어느 곳에 거처하든 어느
지위에 처하든 평온할 수 있는 것이다. 또한 타고난 성품을 안정시켜
바른 길로 나아갈 수 있다면 무엇을 먹든지 무엇을 행하든지 향기로
울 수 있는 것이다.

6-19 景行錄云 屈己者 能處重 好勝者 必遇敵

《경행록》에 이르기를, "자기를 굽히는 자는 능히 중요한 곳에 처할 수 있고, 이기기를 좋아하는 자는 반드시 적을 만난다."

자기를 굽힌다는 것은 겸손을 의미한다. 거만함 보다는 겸손함을 대부분의 사람들은 좋아한다. 비록 자신이 아무리 뛰어나더라도 겸손하게 사양하고 자기를 감추며 자기를 굽히는 사람을 좋아하는 것이다. 반대로 자기만 잘난 체하며 자기주장만을 고집하고 자기를 내세우려는 사람을 사람들은 싫어하기 마련이다. 세상은 넓고 인재는 많다. 또한 뒤에는 무서운 후배들이 있다. 때문에 공자도 "후생가외(後生可畏)"란 말을 한 것이다. 아무리 뛰어난 사람도 언젠가는 반드시 자기를 능가하는 적을 만나게 되고 자기를 능가하는 후배를 만나게 된다. 그때는 어찌할 것인가? 평소에 겸손과 사양으로 주변에 덕을 베풀고 자신을 감추며 살아온 사람은 오히려 두터운 친함을 바탕으로 공격의 대상이 아닌 존경의 대상이 되지 않겠는가? 진정 강한 자는 남을 이기는 사람이 아니라 오래 살아남는 자인 것이다.

6-20 忍一時之忿 免百日之憂
한 때의 성냄을 참으면 많은 날의 근심을 벗어난다.

6-21 得忍且忍 得戒且戒 不忍不戒 小事成大
참을 수 있으면 또한 참아야 하고, 경계할 수 있으면 또한 경계해야 한다. 참지 못하고 경계하지 못하면 작은 일이 크게 만들어진다.

사람이 인생에서 실패하는 경우의 상당수는 한 때의 성냄을 참지 못해서이다. 평소에 처신을 잘하다가도 술 한 잔하거나 어느 순간 욱 하는 성격에 성냄을 참지 못하여 그동안 쌓아온 자기의 모든 것을 잃 는 사람이 많다. 참음(忍)은 인격수련을 통해서만 가능한 일이다. 때 문에 맹자도 "일정한 수입이 있으면 누구나 일정한 마음을 유지하지 만 일정한 수입이 없고도 일정한 마음을 유지할 수 있는 사람은 오직 선비만이 가능하다"고 하였을 것이다.

한 때의 분함과 굴욕을 참고 자기를 잘 다스리면 반드시 좋은 날들 이 찾아옴을 우리는 잘 알고 있다. 그러나 수련을 통하여 인격이 완 성되지 못하면 진정으로 이기는 길이 참음에 있고 지는 것에 있음을 알지 못한다.

참을 능력이 있다는 것은 인격의 완성을 뜻한다. 경계할 수 있음은 자기를 관리함을 뜻한다. 자기를 관리하지 못하고 자기의 인격을 수 련하지 못하면 어느 순간 성냄을 참지 못하게 되고 자기를 잃어버리 게 되는 것이다. 당연히 작은 일이 큰일이 되어 자기 앞을 가로막을 것이다.

6-22 子張이 欲行 辭於夫子 願賜一言爲修身之美 子曰 百行 之本 忍之爲上
자장이 길을 떠나고자 하여 공자에게 하직할 때, "한 마디 말

을 하사하여 수신의 아름다움을 삼을 수 있기를 원합니다."라
하였다. 공자께서 말씀하셨다. "모든 행실의 근본은 참음이 으
뜸이 된다."

6-23   子曰 天子忍之 國無害 諸侯忍之 成其大 官吏忍之 進其
        位 兄弟忍之 家富貴 夫妻忍之 終其世 朋友忍之 名不廢
        自身忍之 無禍害
        공자께서 말씀하셨다. "천자가 참으면 나라가 해로움이 없고,
        제후가 참으면 그 큰 일이 이루어지고, 관리가 참으면 그 지위
        가 나아가고, 형제가 참으면 집이 부유하며 귀해지고, 부부가
        참으면 그 여생을 함께 마치고, 붕우가 참으면 그 명예가 없어
        지지 않고, 자신이 참으면 재앙과 해로움이 없을 것이다."

6-24   子曰 天子不忍 國空虛 諸侯不忍 喪其軀 官吏不忍 刑法
        誅 兄弟不忍 各分居 夫妻不忍 令子孤 朋友不忍 情意疎
        自身不忍 患不除
        공자께서 말씀하셨다. "천자가 참지 못하면 나라가 텅 비고,
        제후가 참지 못하면 그 몸을 잃고, 관리가 참지 못하면 형벌이
        베이고, 형제가 참지 못하면 각각 나뉘어 거처하고, 부부가 참
        지 못하면 자식으로 하여금 외롭게 하고, 붕우가 참지 못하면
        정의가 거칠어지고, 자신이 참지 못하면 근심이 없어지지 않
        는다."

'참음(忍)의 미학'이라고 할 수 있겠다. 세상을 다스리는 자가 참을 수 있다면 당연히 태평성대를 이루어 평온한 날들이 계속될 것이니, 해로움은 멀어질 것이다. 각 나라를 다스리는 제후가 참을 수 있다면 이웃나라와의 관계가 돈독해지고 나라 안이 하나로 화합할 수 있을 것이니, 자기 나라를 드러내고 세계를 도모할 기반을 마련할 수 있을 것이다. 백성을 다스리는 관리가 참을 수 있다면 국민의 신뢰를 얻고 서로 협조할 수 있을 것이니, 그 공로를 인정받아 지위가 올라갈 수 있을 것이다. 형제간에 참을 수 있으면 우애가 돈독해지고 집안이 화목해져서 집안이 나날이 부유해지고 품위가 높아질 수 있을 것이다. 때문에 《논어論語》에 '마을은 풍수지리로 평가하는 것이 아니라 사람들로 평가하는 것이다'라는 내용을 담은 〈이인里仁〉장이 있는 것이다. 부부간에도 참을 수 있으면 집안이 화목함은 물론 해로(偕老)하며 동고동락할 수 있을 것이다. 붕우간은 남남 간에 '믿음' 하나로 만난 사이니만큼 참음은 당연한 친구의 도리이다. 그래도 참을 수 있다면 명예가 영원히 남을 수 있을 것이다. 자신이 참는 것은 가장 기본이 되는 것이니, 자기에게 재앙과 해로움이 멀어짐은 물론 다른 사람과의 관계도 돈독해질 것이고 만사가 형통해질 것이다. 참지 못하는 경우는 미루어 알 수 있을 것이니, 굳이 다시 거론하지 않겠다.

사족(蛇足)이겠지만 남이 나에게 시비를 걸어오는 경우에 자신을 지키는 방법은 자신의 마음을 표현하지 않는 것이 상책이다.

6-25 惡人罵善人 善人摠不對 善人若返罵 彼此無智慧 不對

心淸閑 罵者口熱沸 正如人唾天 還從己身墜

악인이 선인을 욕하면 선인은 모두 대꾸하지 마라. 선인이 만약 되돌려 욕한다면 피차 지혜가 없는 것이다. 대꾸하지 않으면 마음이 맑고 한가해지고 욕하는 자는 입이 뜨겁게 끓는다. 바로 사람이 하늘에 침을 뱉으면 도리어 자신의 몸을 따라 떨어지는 것과 같다.

6-26 我若被人罵 佯聾不分說 譬如火燒空 不救自然滅 鎭火亦如是 有物遭他熱 我心等虛空 摠爾飜脣舌

내가 만약 남의 욕함을 당해도 거짓 귀먹은 체 하고 구분하여 말하지 마라. 비유하면 불이 허공을 불살라 구원하지 않아도 저절로 없어지는 것과 같다. 진화도 또한 이와 같아서 물건이 있으면 다른 뜨거움을 만난다. 내 마음은 허공과 같으니 모두 너의 입술과 혀만 나부낄 뿐이다.

　상대가 나에게 시비를 걸어오더라도 절대 대꾸하지 말라는 원천적인 처세법이다. 물론 대꾸하지 않으면 싸움이 일어날 수 없을지도 모르지만, 대꾸하지 않는다고 또 다른 트집을 잡고 싫어하고 미워하는 일이 발생할 수 있을 것이다. 반드시 상대에게 대구하지 않는 것만이 상책이라고 말할 수 없는 이유이다. 차라리 명쾌하게 잘 잘못을 가려야하지는 않을까?

　사람은 누구나 남에게 욕을 당하면 비록 대꾸하지 않아서 싸움이 되지 않았다 해도 기분이 좋을 리는 없는 것이다. 물론 옳고 그름도 따지지 않고 욕을 하는 상대가 나쁘다는 것은 당연하다고 하겠으나, 그렇다고 상대는 무조건 악인이고 나는 무조건 선인이라는 사고방식도 문제인 것이다. 다시 한 번 자기를 자세히 성찰하여 잘못이 발견되면 곧바로 고쳐 꺼려해서는 안 될 것이다.

명심보감 역주

明心寶鑑 譯註

繼善篇(계선편)

선행(善行)은 아름답다.

1-01

子曰 爲善者는 天報之以福하고
<small>자 왈 위 선 자　천 보 지 이 복</small>

爲不善者는 天報之以禍니라.
<small>위 불 선 자　천 보 지 이 화</small>

공자께서 말씀하셨다.

"선(善)을 행하는 사람은 하늘이 복으로써 보답하고, 불선(不善)을 행하는 사람은 하늘이 재앙으로써 보답하느니라."

❖ 《공자가어(孔子家語)》〈재액편(在厄篇)〉에 나오는 말이다.

• 子曰 : '子'는 부자(夫子)의 줄임말로 스승을 가리키며, 보통은 성 뒤에 붙이나 '子'만 나오는 경우는 대부분 공자(孔子)를 높여 부른 말이다.

• 孔子(B.C.552~479) : 춘추(春秋)시대 노(魯)나라의 대학자로, 유교(儒敎)의 원조(元祖)이다. 이름은 구(丘)이고 자(字)는 중니(仲尼)이다.

1-02

漢昭烈이 將終에 勅後主曰
<small>한 소 열　　　장 종　　　칙 후 주 왈</small>

勿以善小而不爲하고 勿以惡小而爲之하라.
<small>물 이 선 소 이 불 위　　　　물 이 악 소 이 위 지</small>

한(漢)나라 소열황제(昭烈皇帝)가 장차 죽으려 함에 후주(後主 : 劉禪)
에게 조칙을 내려 말하였다.

"선(善)이 작다고 아니 행하지 말고 악(惡)이 작다고 행하지를 말라."

❖ 《소학(小學)》〈가언(嘉言)〉第五에 나오는 말이다.

· 漢나라 : 고대 중국의 나라 이름으로 전한(前漢)과 후한(後漢)으로 나뉘며,
　여기서는 삼국시대의 촉한(蜀漢)을 가리킨다.

· 昭烈(160~223) : 촉한(蜀漢)의 초대 군주로, 성은 유(劉)이고 이름은 비(
　備)이며 자는 현덕(玄德)이고 소열(昭烈)은 시호이다.

· 後主 : 유비의 아들로 유선(劉禪)이다.

1-03

莊子曰 一日不念善이면 諸惡皆自起니라.
<small>장 자 왈 일 일 불 념 선　　　제 악 개 자 기</small>

장자가 말하였다. "하루라도 선(善)을 생각하지 않으면 온갖 악(惡)이

〈1-01〉 寶 보배 보. 鑑 거울, 본보기 감. 繼 닦아나갈 계. 篇 책 편. 爲 행할 위. 者 사람
　　　　자. 報 보답할 보. 以 써(수단, 방법) 이. 不善 선하지 못한 일.
〈1-02〉 漢 나라 한. 昭 밝을 소. 烈 매울 렬. 將 장차 장. 終 마칠 종. 勅 조칙(詔勅)할 칙.
　　　　以 ~을 이유로. 勿 말 물. 而 말 이을 이.

다 저절로 일어나느니라."

- 莊子(B.C 365~290) : 전국(戰國)시대 송(宋)나라 사람으로, 이름은 주(周)이다. 노자의 뒤를 이어 도가(道家) 사상을 발전시켜 노장사상(老莊思想)을 확립한 사람으로 저서에 《莊子》가 있는데, 다만 이 책에 인용된 내용은 모두 《莊子》에 보이지 않는다.

1-04

太公日 見善如渴하고 聞惡如聾하라.
<small>태 공 왈 견 선 여 갈　　문 악 여 롱</small>

又日 善事須貪하고 惡事莫樂하라.
<small>우 왈 선 사 수 탐　　악 사 막 락</small>

태공이 말하였다.

"선을 보거든 목마른 것 같이 하고, 악을 듣거든 귀먹은 것 같이 하라."

또 말하였다. "선한 일은 모름지기 탐내야 하고, 악한 일은 즐기지 말라."

- 太公(B.C 1122~) : 주(周)나라 초기의 현자(賢者)로, 성은 강(姜)이고 씨는 여(呂)이며 이름은 상(尙)이라 한다. 지금의 중국 산동성(山東省) 태생이며, 위수(渭水) 가에서 낚시질을 하다가 문왕(文王)에게 기용되어 아들 무왕을 도와 은(殷)나라의 주(紂)왕을 멸하고 주(周)나라로 평천하 하였다. 저서로 《육도(六韜)》,《삼략(三略)》이 전하는데, 이 책에 인용된 내용은 출전이 분명치 않다.

〈1-03〉 莊 엄숙할 장. 念 생각할 념. 諸 모두 제. 皆 모두 개. 起 일어날 기
〈1-04〉 如 마치~하듯이. ~와 같이. 같을 여. 渴 목마를 갈. 聾 귀먹을 롱. 須 모름지기 수.
莫 말 막. 貪 탐할 탐. 樂 즐길 락.

1-05

馬援曰 終身行善이라도 善猶不足이요
마 원 왈 종 신 행 선　　　　 선 유 부 족

一日行惡이라도 惡自有餘니라.
일 일 행 악　　　　 악 자 유 여

마원이 말하였다.

"일평생 선을 행하여도 선은 오히려 모자라고, 하루만 악을 행하여도
악은 저절로 넉넉하니라."

- 馬援(B.C 14~A.D 49) : 후한(後漢) 때 사람으로 자는 문연(文淵)이며, 광
  무제(光武帝)를 도와서 티베트족을 정벌하고 남방 교지(交趾)의 반란을 평
  정하고 흉노(匈奴)를 토벌하는 등 많은 무공을 세웠다.

1-06

司馬溫公曰 積金以遺子孫이라도 未必子孫能盡守요
사 마 온 공 왈 적 금 이 유 자 손　　　　　 미 필 자 손 능 진 수

積書以遺子孫이라도 未必子孫能盡讀이니
적 서 이 유 자 손　　　　 미 필 자 손 능 진 독

不如積陰德於冥冥之中하여 以爲子孫之計也니라.
불 여 적 음 덕 어 명 명 지 중　　　 이 위 자 손 지 계 야

사마온공이 말하였다. "돈을 모아서 자손에게 물려주더라도 반드시 자
손이 능히 다 지키지는 못하고, 책을 모아서 자손에게 물려주더라도

〈1-05〉馬 말 마. 援 구원할 원. 終身 일생을 마칠 때까지. 猶 오히려 유. 不足 모자람. 넉
넉하지 못함. 餘 넉넉할 여. 有餘 남을 만큼 넉넉함.

반드시 자손이 능히 다 읽지는 못하니, 드러나지 않는 가운데 음덕을 쌓아서 자손의 계책으로 삼는 것만 못하니라."

- 司馬溫公(1019~1086) : 북송(北宋)의 정치가이며 학자이다. 이름은 광(光)이고 자는 군실(君實)이며, 온국공(溫國公)에 봉해졌으므로 온공이라 칭하였다. 시호는 문정공(文正公)이다.

1-07

景行錄曰
경 행 록 왈

恩義廣施하라. 人生何處不相逢이랴.
은 의 광 시   인 생 하 처 불 상 봉

讐怨莫結하라. 路逢狹處難回避니라.
수 원 막 결   로 봉 협 처 난 회 피

《경행록》에 말하였다. "은혜(恩惠)와 의리(義理)는 널리 베풀어라. 사람이 어느 곳에 살던지 서로 만나지 않으랴? 원수와 원한은 맺지 말라. 길이 좁은 곳을 만나면 비켜 피하기 어려우니라."

- 《景行錄》 : 송(宋)나라 때 만든 책으로 제목을 보면 밝은 행실을 기록한 듯하나, 현재 남아 있지 않다.

〈1–06〉 司 맡을 사. 溫 더울 온. 以 이유나 수단을 나타냄. 積 모을 적. 遺 남길 유. 孫 자손 손. 能 잘할 능. 盡 다할 진. 守 지킬 수. 讀 읽을 독. 未必 반드시 ~하는 것은 아니다. 不如 ~만 못하다. 陰 몰래 음. 冥 어두울 명. 陰德 남몰래 쌓은 덕. 冥冥 드러나지 아니하고 은미한 모양. 爲 삼을 위.

1-08

莊子曰 於我善者도 我亦善之하고
장 자 왈 어 아 선 자　　아 역 선 지

於我惡者도 我亦善之니라.
어 아 악 자　　아 역 선 지

我既於人에 無惡이면 人能於我에 無惡哉인저.
아 기 어 인　　무 악　　　인 능 어 아　　무 악 재

장자가 말하였다.

"나에게 선한 사람도 내가 또한 선하게 대하고, 나에게 악한 사람도 내가 또한 선하게 대하니라. 내가 이미 남에게 악이 없었다면 남도 능히 나에게 악이 없을진저!"

1-09

東嶽聖帝垂訓曰
동 악 성 제 수 훈 왈

一日行善이면 福雖未至나 禍自遠矣요
일 일 행 선　　복 수 미 지　　화 자 원 의

一日行惡이면 禍雖未至나 福自遠矣니라.
일 일 행 악　　화 수 미 지　　복 자 원 의

行善之人은 如春園之草하여
행 선 지 인　　여 춘 원 지 초

不見其長이라도 日有所增하고
불 견 기 장　　　일 유 소 증

〈1-07〉 景 밝을 경. 錄 기록할 록. 恩 은혜 은. 廣 넓을 광. 施 베풀 시. 處 곳 처. 逢 만날 봉. 讐 원수 수. 怨 원망 원. 莫 말 막. 結 맺을 결. 路 길 로. 狹 좁을 협. 難 어려울 난. 回 돌아갈, 비켜갈 회. 避 피할 피.

97

行惡之人은 如磨刀之石하여
행 악 지 인　　　여 마 도 지 석

不見其損이라도 日有所虧니라.
불 견 기 손　　　일 유 소 휴

《동악성제수훈》에 말하였다. "하루 선(善)을 행하면 복(福)은 비록 이르지 않으나 화(禍)가 저절로 멀어지고, 하루 악을 행하면 화는 비록 이르지 않으나 복이 저절로 멀어지느니라. 선을 행하는 사람은 봄 동산의 풀과 같아서 그 자라는 것이 보이지 않더라도 날마다 불어나는 바가 있고, 악을 행하는 사람은 칼을 가는 숫돌과 같아서 그 깎이는 것이 보이지 않더라도 날마다 일그러지는 바가 있느니라."

- 東嶽聖帝 : 동악(東嶽)은 오악중 태산(泰山)에 해당되니, 아마도 동악성제는 동악에 거처하는 신선인 듯하나, 자세하지 않다.
- 五嶽 : 동악(東嶽)은 태산(泰山 － 山東)이고 서악은 화산(華山 － 陝西)이고 남악은 형산(衡山 － 湖南)이고 북악은 항산(恒山 － 山西)이고 중악은 숭산(嵩山 － 河南)이다.

1-10

子曰 見善如不及하고 見不善如探湯하라.
자 왈 견 선 여 불 급　　　견 불 선 여 탐 탕

〈1-08〉於 어조사 어. 亦 또한 역. 旣 이미 기. 能 능할 능. 哉 어조사 재.
〈1-09〉嶽 큰 산 악. 聖 성인 성. 帝 임금 제. 垂 드리울 수. 訓 가르칠 훈. 雖 비록 수. 至 이를 지. 矣 어조사 의. 如 같을 여. 春 봄 춘. 園 동산 원. 日 날마다 일. 增 더할 증. 磨 갈 마. 損 덜 손 . 虧 일그러질 휴.

98

공자께서 말씀하셨다. "선(善)을 보거든 못 미치듯이 하고, 불선(不善)을 보거든 끓는 물을 더듬듯이 하라."

❖ 《논어(論語)》 〈계씨편(季氏篇)〉에 나오는 말이다.

〈1-10〉 見 볼 견. 如 같을 여, 마치 ~하듯이. 及 미칠 급. 探 더듬을 탐. 湯 끓을 탕.

天命篇(천명편)

천명(天命)은 경외롭다.

2-01

孟子曰 順天者는 存하고 逆天者는 亡하니라.
맹 자 왈 순 천 자 존　역 천 자 망

맹자가 말하였다.

"천명(天命)을 따르는 자는 보존하고, 천명을 거스르는 자는 멸망하니라."

❖《맹자(孟子)》〈이루장구(離婁章句)〉上에 나오는 말이다.

• 孟子 : 전국(戰國)시대의 사상가로 이름은 가(軻)이고 자는 자여(子輿)이며, 공자(孔子)의 학문사상을 계승하여 공자와 함께 유가(儒家)의 대표인물로 알려져 있다.

〈2–01〉天命 하늘의 이치. 자연의 법칙. 順 따를 순. 逆 거스를 역. 亡 망할 망

2-02

康節邵先生曰
<small>강 절 소 선 생 왈</small>

天聽寂無音하니 蒼蒼何處尋고.
<small>천 청 적 무 음</small> <small>창 창 하 처 심</small>

非高亦非遠하니 都只在人心이니라.
<small>비 고 역 비 원</small> <small>도 지 재 인 심</small>

강절 소선생이 말하였다.

"하늘의 들으심은 고요하여 소리도 없으시니 온통 푸르기만 한데 어
디에서 찾을꼬? 높지도 않고 또한 멀지도 않나니 모두가 다만 사람 마
음속에 있을 뿐이니라."

- 康節邵先生(1011~1077) : 북송(北宋)의 학자로. 성은 소(邵), 이름은 옹(雍)이고 자는 요부(堯夫)이며 康節은 시호이다.

2-03

玄帝垂訓曰 人間私語라도 天聽若雷하고
<small>현 제 수 훈 왈 인 간 사 어</small> <small>천 청 약 뢰</small>

暗室欺心이라도 神目如電이니라.
<small>암 실 기 심</small> <small>신 목 여 전</small>

《현제 수훈》에 말하였다.

〈2-02〉康 편안할 강. 邵 높을 소. 聽 들을 청. 寂 고요할 적. 蒼 푸를 창. 蒼蒼 빛이 새파
란 모양. 尋 찾을 심. 都 모두 도. 只 다만 지.
〈2-03〉玄 하늘 현. 垂 드리울 수. 訓 가르칠 훈. 私 사사로울 사. 語 말씀 어. 雷 우뢰 뢰.
暗 어두울 암. 室 방 실. 欺 속일 기. 電 번개 전

"인간의 사사로운 말이라도 하늘의 들으심은 우레와 같고, 어둑한 방 안에서 마음을 속이더라도 신의 눈은 번개와 같으니라."

2-04

益智書云 惡鑵若滿이면 天必誅之니라.
익 지 서 운 악 관 약 만　　　 천 필 주 지

《익지서》에 이르기를, "악의 두레박으로 만약 (동이를) 가득 채운다면 하늘이 반드시 베느니라."

• 《益智書》: (宋)나라 때에 만들어진 교양에 관한 책으로 제목을 보면 지혜를 더해주는 내용인 듯하다.

2-05

莊子曰 若人作不善하여 得顯名者면
장 자 왈 약 인 작 불 선　　 득 현 명 자

人雖不害나 天必戮之니라.
인 수 불 해　　 천 필 륙 지

장자가 말하였다.

"만약 사람이 불선(不善)을 지어 현달한 이름을 얻는다면, 사람은 비

〈2-04〉 惡鑵 악을 퍼 올리는 그릇. 智 슬기 지. 鑵 두레박 관. 若 만약 약. 滿 가득찰 만. 誅 벨 주.
〈2-05〉 若 만약 ~한다면. 作 지을 작. 得 얻을 득. 顯 드러낼 현. 雖 비록 수. 害 해할 해. 戮 죽일 륙.

록 해치지 못하나 하늘이 반드시 그를 죽이느니라."

2-06

種瓜得瓜요 **種豆得豆**니
<small>종 과 득 과　　종 두 득 두</small>

天網恢恢하여 **疏而不漏**니라.
<small>천 망 회 회　　소 이 불 루</small>

"오이를 심으면 오이를 얻고 콩을 심으면 콩을 얻으니, 하늘의 그물은
크고 넓어 성글어도 새지는 않느니라."

2-07

子曰 獲罪於天이면 **無所禱也**니라.
<small>자 왈 획 죄 어 천　　무 소 도 야</small>

공자께서 말씀하셨다.

"하늘에 죄를 얻으면 빌 곳도 없느니라."

〈2-06〉 種 심을 종. 瓜 오이 과. 得 얻을 득. 豆 콩 두. 網 그물 망. 恢 넓을 회. 恢恢 광대
하여 포용하는 모양. 踈 성글 소. 漏 셀 루
〈2-07〉 獲 얻을 획. 罪 죄 죄. 所 곳 소. 禱 빌 도. 也 어조사 야

順命篇(순명편)

천명(天命)은 자연이다.

3-01

子夏曰 死生有命이요 富貴在天이니라.
자 하 왈 사 생 유 명   부 귀 재 천

자하가 말하였다.

"생사는 운명(運命)에 있고 부귀는 천명(天命)에 달렸느니라."

❖ 《논어(論語)》〈안연편(顏淵篇)〉에 나오는 말이다.

- 子夏 : 공자의 제자로 성은 복(卜)이고 이름은 상(商)이며 자가 자하(子夏)
  이다. 공자보다 44세 연하로 자유(子游)와 더불어 문학에 뛰어나다는 평
  을 들었다.

〈3-01〉運命 인간이 초인간적인 위력에 의해 지배된다는 이론. 타고난 팔자. 天命 하늘의
    명령. 死 죽을 사. 命 운수 명. 有 있을(소유의 개념) 유. 在 있을(존재의 개념)

3-02

萬事分已定이어늘 浮生空自忙이니라.
만 사 분 이 정　　　　부 생 공 자 망

"모든 일은 분수(分)가 이미 정해져 있거늘, 덧없는 인생이 공연히 스스로 바쁘니라."

3-03

景行錄云 禍不可以倖免이요 福不可以再求니라.
경 행 록 운 화 불 가 이 행 면　　　　복 불 가 이 재 구

《경행록》에 이르기를, "화(禍)는 요행으로 면할 수 없고 복(福)은 거듭 구할 수 없느니라."

3-04

時來風送滕王閣이요 運退雷轟薦福碑니라.
시 래 풍 송 등 왕 각　　　　운 퇴 뢰 굉 천 복 비

"시운(時運)이 돌아오니 바람이 등왕각으로 보내주었고, 운수(運數)가 물러가니 벼락이 천복비를 깨뜨렸느니라."

〈3-02〉 分 분수, 몫 분. 分數 자기 신분에 맞는 한도. 已 이미 이. 浮 뜰, 덧없을 부. 浮生 덧없는 인생, 부질없는 인생. 空 부질없을, 헛될 공. 忙 바쁠 망.
〈3-03〉 禍 재앙 화. 倖 요행 행. 免 면할 면. 福 복 복. 再 거듭 재.
〈3-04〉 滕 나라 등. 閣 집 각. 雷 우뢰 뢰. 轟 울릴 굉. 薦 올릴 천. 碑 돌기둥 비.

- 滕王閣 : 양자강 유역 남창(南昌)에 있는 누각으로 당(唐)나라 때 그 곳 도독인 염백서(閻伯嶼)란 사람이 건립했다고 한다.
- 薦福碑 : 강서성(江西省) 천복사(薦福寺)에 있던 비탑(碑塔)으로 원(元)나라 때 마치원(馬致遠)이 세운 것이라는 설도 있고, 당(唐)나라 때 구양순(歐陽詢)이 비문을 썼다는 설도 있다.
- 당나라 때의 명문장가로 이름이 높았던 "왕발"(王勃)이란 사람은 순풍을 만나 배를 타고 하룻밤 사이에 남창 칠백 리를 가서 등왕각 연회에 참석하여 등왕각서문을 지어 천하에 문명(文名)을 드날렸으며, 구래공(寇萊公)의 문객(門客) 한 사람은 지극히 곤궁하였는데 천복비의 탁본(拓本)을 해오면 후사(厚謝)하겠다는 부탁을 받고 천신만고 끝에 수천 리를 달려갔으나 그날 밤 벼락이 떨어져 천복비를 깨뜨렸다고 한다.

3-05

列子曰
열 자 왈

癡聾痼啞家豪富요 智慧聰明却受貧이라.
치 롱 고 아 가 호 부　　 지 혜 총 명 각 수 빈

年月日時該載定하니 算來由命不由人이라.
년 월 일 시 해 재 정　　　 산 래 유 명 불 유 인

열자가 말하였다.

〈3-05〉 列 벌릴 렬. 癡 어리석을, 바보 치. 聾 귀머거리 롱. 痼 고질병 고. 啞 벙어리 아. 豪 클 호. 慧 밝을 혜 / 聰 귀 밝을 총 / 却 도리어 각 / 該 모두 해 / 載 처음 재 / 算 산 가지, 점칠, 헤아릴 산 / 由 말미암을 유

"어리석고 귀먹고 고질병이고 벙어리라도 집이 큰 부자이고, 지혜롭고 총명하여도 도리어 가난하게 사느니라. 연월일시가 모두 처음부터 정해져 있으니, 점쳐보면 천명(天命)에 달린 것이지 사람에게 달린 것이 아니니라."

- 列子 : 이름은 어구(禦寇)이며, 전국(戰國)시대 초기 노(魯)나라의 철학자로 그의 사상을 엮은 저서 《列子》가 있다.

孝行篇(효행편)

효행은 마땅한 도리이다.

4-01

詩曰 父兮生我하시고 母兮鞠我하시니
시 왈 부 혜 생 아   모 혜 국 아

哀哀父母여 生我劬勞삿다.
애 애 부 모   생 아 구 로

欲報深恩인대 昊天罔極이로다.
욕 보 심 은   호 천 망 극

《시경(詩經)》에 말하였다. "아버지 날 낳으시고 어머니 날 기르시니 애달프다 부모여! 나를 낳아 애쓰며 고생하셨도다. 그 깊은 은혜를 갚고자 하는데 넓고 넓은 하늘이라 끝이 없도다."

❖ 《시경(詩經)》〈소아(小雅)〉《육아편(蓼莪篇)》에 나오는 말이다.

• 《詩經》: 삼경(三經)의 하나로 주대(周代)까지의 시(詩)를 공자(孔子)가 뽑

〈4-01〉兮 어조사 혜. 鞠 기를 국. 哀哀 슬픈 모양. 生 낳을 생. 劬 힘쓸 구. 勞 수고로울 로. 深 깊을 심. 昊 하늘 호. 罔 없을 망. 極 다할 극.

아 편찬한 것이다. 일반적으로 詩라고 하면 《詩經》을 가리키는 말이다.

4-02

子曰 孝子之事親也에 居則致其敬하고
자 왈 효 자 지 사 친 야   거 즉 치 기 경

養則致其樂하고 病則致其憂하고
양 즉 치 기 락   병 즉 치 기 우

喪則致其哀하고 祭則致其嚴이니라.
상 즉 치 기 애   제 즉 치 기 엄

공자께서 말씀하셨다.

"효자가 부모를 섬김에 평소 때면 그 공경을 다하고, 봉양할 때면 그 즐거움을 다하고 병드실 때면 그 근심을 다하고, 돌아가실 때면 그 슬픔을 다하고 제사지낼 때면 그 엄숙함을 다하느니라."

❖ 《예기(禮記)》〈제통편(祭統篇)〉에 나오는 말이다.

4-03

子曰 父母在어시든 不遠遊하며 遊必有方이니라.
자 왈 부 모 재   불 원 유   유 필 유 방

공자께서 말씀하셨다.

"부모가 살아 계시거든 멀리 나가 놀지 말며 놀러 갈 때는 반드시 정한

〈4-02〉 事 섬길 사. 致 다할 치. 其 그 기. 敬 공경할 경. 養 기를 양. 樂 즐거울 락. 憂 근심 우. 哀 슬플 애. 祭 제사 제. 嚴 엄할 엄

방향이 있어야 하느니라."

❖《논어(論語)》〈이인편(里仁篇)〉에 나오는 말이다.

4-04

子曰 父命召어시든 唯而不諾하고 食在口則吐之니라.
자 왈 부 명 소   유 이 불 락   식 재 구 즉 토 지

공자께서 말씀하셨다.

"부모님께서 명하여 부르시거든 속히 대답하여 머뭇거리지 말아야 하
고, 음식이 입에 있으면 그것을 뱉어야 하느니라."

❖《예기(禮記)》〈옥조편(玉藻篇)〉에 나오는 말이다.

4-05

太公曰 孝於親이면 子亦孝之하나니
태 공 왈 효 어 친   자 역 효 지

身旣不孝면 子何孝焉이리오.
신 기 불 효   자 하 효 언

태공이 말하였다.

〈4-03〉 在 있을 재. 遠 멀 원. 遊 놀 유. 方 방향 방
〈4-04〉 唯 대답하는 소리 유(대답하는 소리, 즉 우리말의 "예"에 해당하는 말소리. 대답을 하
        고 바로 응하는 것을 말한다.) 諾 느리게 대답할 낙("예"라고 대답만 하고 바로 응하
        지 않는 것을 말한다.) 召 부를 소. 吐 토할 토.
〈4-05〉 親 어버이 친. 何 어찌 하. 焉 어조사 언.

"부모에게 효도하면 자식이 또한 나에게 효도하나니, 내 자신이 이미 효도하지 않았다면 자식이 어찌 나에게 효도하리오?"

4-06

孝順還生孝順子요 忤逆還生忤逆兒하나니
효 순 환 생 효 순 자　오 역 환 생 오 역 아

不信但看簷頭水하라 點點滴滴不差移니라.
불 신 단 간 첨 두 수　점 점 적 적 불 차 이

"부모에게 효도하고 순종(順從)하는 사람은 다시 또 효도하고 순종하는 자식을 낳고, 부모에게 거역(拒逆)하는 사람은 다시 또 거역하는 자식을 낳나니, 믿지 못하겠거든 다만 처마 끝의 물을 보라. 똑똑 방울방울 (한 치도) 어긋나게 떨어지지 않느니라."

〈4-06〉順 좇을 순. 還 다시, 도로 환 . 逆 거스를 역. 簷 처마 첨. 頭 끝 두 . 點 점 점. 滴 물방울 떨어질 적. 差 어긋날 차. 移 옮길 이.

正己篇(정기편)

자신을 바로 세운다.

5-01

性理書云 見人之善而尋己之善하고
성 리 서 운 견 인 지 선 이 심 기 지 선

見人之惡而尋己之惡이니 **如此**라야 **方是有益**이니라.
견 인 지 악 이 심 기 지 악   여 차   방 시 유 익

《성리서》에 이르기를, "남의 선을 보거든 나의 선을 찾아보고, 남의 악을 보거든 나의 악을 찾아볼 것이니, 이와 같이 하여야 바야흐로 이로움이 있느니라."

- 《性理書》: 송(宋)나라 때 유학자(儒學者)들이 인간의 심성(心性)과 우주의 원리에 대하여 지은 모든 글을 이르나, 주자(朱子)의 《성리대전》을 말할 때 주로 쓰인다.

〈5-01〉理 이치 리. 而 말 이을 이. 如此 이와 같이. 方 바야흐로, 비로소 방. 益 보탤. 이로울 익.

5-02

景行錄云 大丈夫는 當容人이언정 無爲人所容이니라.
경 행 록 운 대 장 부　　당 용 인　　　　무 위 인 소 용

《경행록》에 이르기를, "대장부는 마땅히 남을 용납할지언정 남에게 용납당할 바 되지 말지니라."

5-03

太公曰 勿以貴己而賤人하고
태 공 왈 물 이 귀 기 이 천 인

勿以自大而蔑小하고 勿以恃勇而輕敵이니라.
물 이 자 대 이 멸 소　　　물 이 시 용 이 경 적

태공이 말하였다.

"자기가 귀하다고 남을 천하게 여기지 말고, 자기가 크다고 작은 것을 업신여기지 말고, 용맹을 믿고 적을 가벼이 여기지 말지니라."

5-04

馬援曰 聞人之過失이어든 如聞父母之名하여
마 원 왈 문 인 지 과 실　　　　여 문 부 모 지 명

耳可得聞이언정 口不可言也니라.
이 가 득 문　　　구 불 가 언 야

〈5-02〉當 마땅히 당. 容 용납할 용. 無 말 무. 爲 될 위.
〈5-03〉賤 천할 천. 蔑 업신여길 멸. 恃 믿을 시. 輕 가벼울 경. 敵 적군 적

마원이 말하였다.

"남의 허물을 듣거든 부모의 이름을 듣는 것처럼 하여, 귀로는 얻어 들을지언정 입으로는 말하지 않아야 하느니라."

5-05

康節邵先生曰
강 절 소 선 생 왈

聞人之謗이라도 未嘗怒하며
문 인 지 방 　　　미 상 노

聞人之譽라도 未嘗喜하며
문 인 지 예 　　　미 상 희

聞人之惡이라도 未嘗和하며
문 인 지 악 　　　미 상 화

聞人之善이면 則就而和之하고
문 인 지 선 　　즉 취 이 화 지

又從而喜之하라.
우 종 이 희 지

其詩曰 樂見善人하며 樂聞善事하며
기 시 왈 락 견 선 인 　　　락 문 선 사

樂道善言하며 樂行善意하고
락 도 선 언 　　　락 행 선 의

聞人之惡이어든 如負芒刺하며
문 인 지 악 　　　여 부 망 자

聞人之善이어든 如佩蘭蕙니라.
문 인 지 선 　　　여 패 란 혜

〈5-04〉馬 말 마. 援 구원할 원. 聞 들을 문. 過 허물 과. 失 잃을, 허물 실.

〈5-05〉康 편안할 강. 節 마디 절. 邵 높을 소. 人 다른 사람 인. 謗 비방할 방. 嘗 일찍이 상. 譽 기릴 예. 和 화할 화. 就 나아갈 취. 喜 기쁠 희. 道 말할 도. 負 질 부. 芒 가시 망. 刺 가시 자. 佩 찰 패. 蘭 난초 란. 蕙 혜초 혜.

강절 소선생이 말하였다.

"남의 비방을 듣더라도 섣불리 성내지 말며, 남의 칭찬을 듣더라도 섣불리 기뻐하지 말며, 남의 악행을 들어도 섣불리 동조하지 말며, 남의 선행을 들으면 나아가 화답하고 또 따라서 그를 기뻐할지니라."

그의 시(詩)에서 말하였다. "선한 사람을 즐겨 보며, 선한 일을 즐겨 들으며, 선한 말을 즐겨 말하며, 선한 뜻을 즐겨 행하고 남의 악행을 듣거든 가시를 짊어진 것 같이 하며, 남의 선행을 듣거든 향초를 지닌 것 같이 하느니라."

5-06

道吾惡者는 是吾師요 道吾好者는 是吾賊이니라.
도 오 오 자   시 오 사   도 오 호 자   시 오 적

"내가 싫다고 말하는 사람은 곧 나의 스승이고, 내가 좋다고 말하는 사람은 곧 나의 도적이니라."

5-07

太公曰 勤爲無價之寶요 愼是護身之符니라.
태 공 왈 근 위 무 가 지 보   신 시 호 신 지 부

태공이 말하였다. "부지런함은 값을 매길 수 없는 보배이고, 삼감은 몸을 지키는 부적이니라."

〈5-06〉道 말할 도. 是 곧 ~이다. 師 스승 사. 賊 도둑 적.

5-08

景行錄曰 保生者는 寡慾하고
경행록왈 보생자 과욕

保身者는 避名이니 無慾易나 無名難이니라.
보신자 피명 무욕이 무명난

《경행록》에 말하였다. "일생(삶)을 보전하려는 사람은 욕심을 적게 갖고, 일신(몸)을 보전하려는 사람은 명성을 피하나니, 욕심 없기는 쉬우나 이름 없기는 어려우니라."

5-09

子曰 君子有三戒하니
자왈 군자유삼계

少之時엔 血氣未定이라 戒之在色하고
소지시 혈기미정 계지재색

及其壯也하야 血氣方剛이라 戒之在鬪하고
급기장야 혈기방강 계지재투

及其老也하야 血氣旣衰라 戒之在得이니라.
급기로야 혈기기쇠 계지재득

공자께서 말씀하셨다. "군자는 세 가지 경계할 것이 있으니, 젊어서는 혈기가 안정되지 않은지라 경계할 것이 이성관계(異性關係)에 있고, 장성하여서는 혈기가 바야흐로 강성한지라 경계할 것이 싸움에 있고,

---

⟨5-07⟩ 勤 부지런할 근. 爲 될 위. 價 값 가. 愼 삼갈 신. 符 부적 부.
⟨5-08⟩ 寡 적을 과. 慾 욕심 욕. 避 피할 피. 易 쉬울 이. 難 어려울 난.
⟨5-09⟩ 戒 경계 계. 壯 장성할 장. 剛 굳셀 강. 鬪 싸움 투. 衰 쇠할 쇠.

늙어서는 혈기가 이미 쇠퇴한지라 경계할 것이 탐욕에 있느니라."

❖《논어(論語)》〈계씨편(季氏篇)〉에 나오는 말이다.

5-10

孫眞人養生銘云 怒甚偏傷氣하고 思多太損神하니
손 진 인 양 생 명 운 노 심 편 상 기　　　사 다 태 손 신

神疲心易役하고 氣弱病相因이라.
신 피 심 이 역　　　기 약 병 상 인

勿使悲歡極하고 當令飮食均하며
물 사 비 환 극　　　당 령 음 식 균

再三防夜醉하고 第一戒晨嗔하라.
재 삼 방 야 취　　　제 일 계 신 진

《손진인양생명》에 이르기를, "성냄이 심하면 기운이 치우쳐 다치고,
생각이 많으면 정신을 크게 상하니, 정신이 피로하면 마음이 쉽게 고
달프고, 기운이 약하면 병이 생겨나느니라. 슬픔과 기쁨을 다하도록
하지 말고, 마땅히 음식을 골고루 먹도록 하며, 재삼 밤에 술 취하는
것을 막고 제일은 새벽에 성내는 것을 경계하라."

• 孫眞人 : 도가(道家)에 속하는 사람으로 성은 손(孫)이고, 진인(眞人)은 도
　가(道家)에서 도를 터득한 사람을 가리키는 말이나, 자세하지 않다.

〈5-10〉銘 새길 명. 甚 심할 심. 偏 치우칠 편. 傷 상할 상. 損 손상할 손. 疲 피곤할 피.
　　役 부릴 역. 心役 마음이 고달픔. 相 따를 상. 因 인할 인. 使 하여금 사. 悲 슬플
　　비. 歡 기뻐할 환. 極 다할 극. 令 하여금 령. 再三 거듭. 防 막을 방. 醉 술 취할
　　취. 晨 새벽 신. 嗔 성낼 진.

5-11

景行錄曰 食淡精神爽이요 心淸夢寐安이니라.
경 행 록 왈 식 담 정 신 상   심 청 몽 매 안

《경행록》에 말하였다. "음식이 담박하면 정신이 상쾌하고, 마음이 맑으면 꿈자리가 편안하느니라."

5-12

定心應物하면 雖不讀書라도 可以爲有德君子니라.
정 심 응 물   수 불 독 서   가 이 위 유 덕 군 자

"마음을 안정하여 사물에 응하면 비록 글을 읽지 못했더라도 덕을 갖춘 군자라 할 만하니라."

5-13

近思錄云 懲忿如救火하고 窒慾如防水하라.
근 사 록 운 징 분 여 구 화   질 욕 여 방 수

《근사록》에 이르기를, "분노 징계하기를 불 끄듯이 하고 욕심 막기를 물 막듯이 하라."

- 《近思錄》: 송(宋)나라 때 주자(朱子)와 그의 친구인 여조겸(呂祖謙)이 함께 지은 책으로, 근사(近思)에는 두 가지 의미가 있으니, 하나는 생각을 가

〈5-11〉淡 담박할 담. 爽 상쾌할 상. 淸 맑을 청. 夢 꿈 몽. 寐 잠잘 매.
〈5-12〉應 응할 응. 雖 비록 수

까운 곳에서 찾으라는 의미와 하나는 자신의 주변을 잘 성찰하라는 의미
가 있으며, 인격수양에 필요한 명언 622조목을 14부로 편저(編著)하였다.

5-14

夷堅志云 避色如避讎하고 避風如避箭하며
이 견 지 운 피 색 여 피 수   피 풍 여 피 전

莫喫空心茶하고 少食中夜飯하라.
막 끽 공 심 다   소 식 중 야 반

《이견지》에 이르기를, "이성관계(異性關係) 피하기를 원수 피하듯이
하고 바람 피하기를 화살 피하듯이 하며, 빈속에 차를 마시지 말고 한
밤중에 밥을 적게 먹으라."

❖《夷堅志》: 송(宋)나라 때 사람인 홍매(洪邁: 1123~1202)가 민간의 기이
한 일이나 이야기를 모아 엮은 설화집으로 420권으로 되어 있다.

5-15

荀子曰 無用之辯과 不急之察을 棄而勿治하라.
순 자 왈 무 용 지 변   불 급 지 찰   기 이 물 치

순자가 말하였다. "소용없는 말과 급하지 않은 보살핌은 내버려두고

〈5-13〉懲 징계할 징. 忿 분할 분. 懲忿 분함을 억누르다. 救 구원할 구. 如 ~와 같이. 마
　　치 ~하듯이. 救火 불을 끄다. 窒 막을 질.
〈5-14〉夷 오랑캐 이. 堅 굳을 견. 志 기록할 지. 箭 화살 전. 喫 먹을 끽. 茶 차 다. 飯 밥
　　반. 空心茶 빈속에 먹는 차. 中夜飯 옛날 귀족들은 하루 5~6끼의 밥을 먹었는데,
　　그 중에 한밤중에 먹는 끼니를 이른다.

다스리지 말라."

❖ 《순자(荀子)》〈천론편(天論篇)〉에 나오는 말이다.

• 荀子(B.C.298?~238?) : 전국(戰國)시대 조(趙)나라 사람으로, 이름은 황
(況)이며 자는 경(卿)이다. 《성악설(性惡說)》을 주장하여 악을 순화시키기
위한 교육과 환경을 강조하였으며, 저서로는 《荀子》가 있다.

5-16

子曰 衆好之라도 必察焉하며 衆惡之라도 必察焉이니라.
자 왈 중 호 지   필 찰 언   중 오 지   필 찰 언

공자께서 말씀하셨다.

"많은 사람이 좋아하더라도 반드시 살펴보아야 하며, 많은 사람이 미
워하더라도 반드시 살펴보아야 하니라."

❖ 《논어(論語)》〈위령공편(衛靈公篇)〉에 나오는 말이다.

• 唯仁者 能好人, 能惡人. (오직 어진 사람만이 사람을 좋아할 수 있고, 사람
을 미워할 수도 있다. ─《논어(論語)》〈이인편(里仁篇)〉)

5-17

酒中不語는 眞君子요 財上分明은 大丈夫니라.
주 중 불 어   진 군 자   재 상 분 명   대 장 부

〈5-15〉荀 성 순. 辯 말씀 변. 急 급할 급. 察 살필 찰. 棄 버릴 기. 治 다스릴 치.
〈5-16〉衆 많을 중. 察 생각해볼 찰. 惡 미워할 오.

"술 마시는 중에 말 없는 사람은 참다운 군자이고, 재물관계에 분명한 사람은 대장부니라."

5-18

萬事從寬이면 其福自厚니라.
만 사 종 관　　　기 복 자 후

"모든 일에 너그러움을 따르면 그 복이 저절로 두터워지느니라."

5-19

太公曰 欲量他人이어든 先須自量하라.
태 공 왈 욕 량 타 인　　　선 수 자 량

傷人之語는 還是自傷이니
상 인 지 어　　　환 시 자 상

含血噴人이면 先汚其口니라.
함 혈 분 인　　　선 오 기 구

태공이 말하였다.

"다른 사람을 헤아리려거든 먼저 모름지기 자신을 헤아려보라. 남을 다치게 하는 말은 도리어 자신을 다치게 하는 것이니, 피를 머금어 남에게 뿜으면 먼저 그 입을 더럽히니라."

〈5-17〉財 재물 재. 丈 어른 장. 夫 사내 부.
〈5-18〉寬 너그러울 관 / 厚 두터울 후

5-20

凡戲無益이요 惟勤有功이니라.
범 희 무 익　　　유 근 유 공

"모든 희롱은 이로움이 없고, 오직 근면만이 공로가 있느니라."

5-21

太公曰 瓜田不納履하고 李下不整冠하라.
태 공 왈 과 전 불 납 리　　　리 하 불 정 관

태공이 말하였다. "참외밭에서 신을 고쳐 신지 말고, 자두나무 아래서 관(冠)을 정돈하지 말지니라."

5-22

景行錄曰 心可逸이언정 形不可不勞요
경 행 록 왈 심 가 일　　　형 불 가 불 로

道可樂이언정 身不可不憂니
도 가 락　　　신 불 가 불 우

形不勞면 則怠惰易弊하고 身不憂면 則荒淫不定이라.
형 불 로　　즉 태 타 이 폐　　　신 불 우　　즉 황 음 부 정

故로 逸生於勞而常休하고 樂生於憂而無厭하나니
고　　일 생 어 로 이 상 휴　　　락 생 어 우 이 무 염

逸樂者는 憂勞其可忘乎아.
일 락 자　　우 로 기 가 망 호

〈5-19〉欲 하고자할 욕. 量 헤아릴 양. 還 도리어 환. 숨 머금을 함. 噴 뿜을 분. 汚 더러울 오
〈5-20〉凡 모두 범. 戲 희롱할 희. 惟 오직 유. 功 공로 공.
〈5-21〉瓜 참외 과. 納 고칠 납. 履 신 리. 李 자두나무 리. 整 정돈할 정. 冠 갓 관.

《경행록》에 말하였다. "마음은 편안할지언정 형체는 수고롭지 않을 수 없고, 도(道)는 즐거울지언정 몸은 근심하지 않을 수 없으니, 형체는 수고롭지 않으면 게을려져 쉽게 망가지고, 몸은 근심하지 않으면 주색에 빠져 안정되지 못하니라. 그러므로 편안함은 수고로움에서 나와 언제나 기쁘고, 즐거움은 근심함에서 생겨나 싫증이 없나니, 편안하고 즐거운 사람은 근심과 수고로움이 잊어지겠는가?"

5-23

耳不聞人之非하고 目不視人之短하며
이 불 문 인 지 비   목 불 시 인 지 단
口不言人之過라야 庶幾君子니라.
구 불 언 인 지 과   서 기 군 자

"귀로는 남의 비리를 듣지 아니하고, 눈으로는 남의 단점을 보지 아니하며, 입으로는 남의 허물을 말하지 않아야 군자에 가까워지니라."

5-24

蔡伯喈曰 喜怒在心하고 言出於口하나니 不可不愼이
채 백 개 왈   희 로 재 심   언 출 어 구   불 가 불 신
니라.

〈5-22〉不可不 ~하지 않을 수 없다. 荒淫 음탕한 짓을 함부로 함. 방탕에 빠짐. 逸 편안할 일. 形 형체 형. 憂 근심할 우. 怠 게으를 태. 惰 게으를 타. 幣 해질, 망가질 폐. 荒 거칠, 빠질 황. 淫 방탕할 음. 常 항상 상. 休 아름다울, 기쁠 휴. 厭 싫을 염

123

채백개가 말하였다. "기쁨과 노여움은 마음에 있고 말은 입에서 나오나니, 삼가지 않을 수 없느니라."

- 蔡伯喈 : 후한(後漢) 때의 학자로 이름은 옹(邕)이며 백개(伯喈)는 그의 자이다. 저서로 《蔡中郎全集》이 있다.

5-25

宰予晝寢이어늘 子曰 朽木은 不可雕也요
재 여 주 침　　자 왈 후 목　　불 가 조 야

糞土之墻은 不可杇也니라.
분 토 지 장　　불 가 오 야

재여가 낮잠을 자거늘, 공자께서 말씀하셨다.

"썩은 나무는 조각할 수 없고, 썩은 흙으로 쌓은 담장은 흙손질할 수 없느니라."

❖ 《논어(論語)》〈공야장편(公冶長篇)〉에 나오는 말이다.

- 宰子 : 춘추(春秋)시대 노(魯)나라 사람. 字가 자아(子我)이기 때문에 재아(宰我)라고도 많이 쓰며, 공문십철(孔門十哲)의 한 사람으로 언변에 능했다. 위 글은 배운 것을 실천하지 않고 언변만 능한 재여에게 일침을 가하는 공자의 말씀이다. 《論語》에서는 뒤이어 "말과 행동이 일치하지 않는 것을 재여를 통해서 나는 알게 되었고, 이로 인해 사람을 볼 때 그 말만 믿는 것이 아니라 그 행동까지도 살피게 되었다."라고 재여를 심하게 꾸짖는 공

〈5-23〉庶 가까울 서. 幾 거의 기. 庶幾 거의 ~이다. 가까움. 거의 되려 함.
〈5-24〉蔡 나라 채. 喈 새소리 개. 不可不 ~하지 않을 수 없다. 慎 삼갈 신

자의 말씀을 볼 수 있다.

5-26-1

紫虛元君誠諭心文曰
자 허 원 군 성 유 심 문 왈

福生於淸儉하고 德生於卑退하며
복 생 어 청 검　　　덕 생 어 비 퇴

道生於安靜하고 命生於和暢하며
도 생 어 안 정　　　명 생 어 화 창

患生於多慾하고 禍生於多貪하며
환 생 어 다 욕　　　화 생 어 다 탐

過生於輕慢하고 罪生於不仁하니라.
과 생 어 경 만　　　죄 생 어 불 인

戒眼莫看他非하고 戒口莫談他短하며
계 안 막 간 타 비　　　계 구 막 담 타 단

戒心莫自貪嗔하고 戒身莫隨惡伴하라.
계 심 막 자 탐 진　　　계 신 막 수 악 반

無益之言을 莫妄說하고 不干己事를 莫妄爲하라.
무 익 지 언　　막 망 설　　　불 간 기 사　　막 망 위

《자허원군 성유심문》에 말하였다.

"복은 청렴과 검소함에서 나고 덕은 낮추고 물러남에서 나며, 도는 평
안과 정숙함에서 나고 생명은 화평과 통창함에서 나며, 근심은 욕심이
많은 데서 나고 재앙은 탐욕이 많은 데서 나며, 허물은 경솔과 거만함
에서 나고 죄악은 어질지 못함에서 나느니라."

〈5-25〉 宰 재상 재. 予 나 여. 晝 낮 주. 寢 잠잘 침. 朽 썩을 후. 雕 새길 조. 糞 똥, 더러울
분. 糞土 썩은 흙. 墻 담 장. 圬 흙손질할 오.

125

"눈을 경계하여 남의 비리를 보지 말고 입을 경계하여 남의 단점을 말하지 말며, 마음을 경계하여 스스로 탐내거나 성내지 말고, 몸을 경계하여 나쁜 친구를 따르지 말며, 무익한 말은 함부로 말하지 말고 자기와 간여하지 않는 일을 함부로 행하지 말라."

- 紫虛元君 : 도가(道家)에 속하는 사람으로 자허(紫虛)는 도사의 이름이고 원군(元君)은 으뜸도사임을 나타낸 듯하나, 자세하지 않다.
- 誠諭心文 : 정성으로 깨우쳐주는 진심의 글.

5-26-2

尊君王孝父母하고 敬尊長奉有德하고
존 군 왕 효 부 모　　경 존 장 봉 유 덕

別賢愚恕無識하며 物順來而勿拒하고
별 현 우 서 무 식　　물 순 래 이 물 거

物既去而勿追하며 身未遇而勿望하고
물 기 거 이 물 추　　신 미 우 이 물 망

事已過而勿思하라.
사 이 과 이 물 사

聰明多暗昧하고 算計失便宜하며
총 명 다 암 매　　산 계 실 편 의

損人終自失하고 依勢禍相隨니라.
손 인 종 자 실　　의 세 화 상 수

〈5-26-1〉未遇(不遇) (포부나 재능이 있어도) 좋은 때를 만나지 못함. 임금이 현명한 신하를 만나지 못하거나, 신하는 알아주는 임금을 만나지 못함. 紫 붉을 자. 虛 빌 허. 諭 깨우칠 유. 淸 맑을 청. 儉 검소할 검. 暢 통할, 화창할 창. 慢 거만할 만. 戒 경계할 계. 嗔 성낼 진. 隨 따를 수. 伴 짝 반. 妄 망령될 망. 干 간여할 간.

戒之在心이요 守之在氣니
계 지 재 심   수 지 재 기

爲不節而亡家하고 因不廉而失位니라.
위 부 절 이 망 가   인 불 렴 이 실 위

"군왕을 받들며 부모에게 효도하고, 웃어른을 공경하며 덕 있는 사람
을 받들고, 어짊과 어리석음을 분별하고 무식함을 용서하며, 사물이
순리로 오거든 막지 말고, 사물이 떠나가거든 좇지 말며, 자신이 대우
를 받지 못하거든 바라지 말고, 일이 이미 지났거든 생각하지 말라."
"총명해도 사리에 어두울 때가 많고 계산에 밝아도 편의를 잃을 수 있
으며, 남을 훼손하면 결국 자신이 실패하고, 권세에 의존하면 재앙이
따라 수반되느니라. 경계함이 마음에 있고 지킴이 기운에 있으니, 이
를 절제하지 못하여 집이 망하고, 청렴하지 못하여 지위를 잃느니라."

5-26-3

勸君自警於平生하노니 可歎可驚而可畏니라.
권 군 자 경 어 평 생   가 탄 가 경 이 가 외

上臨之以天鑑하고 下察之以地祇하며
상 림 지 이 천 감   하 찰 지 이 지 기

明有王法相繼하고 暗有鬼神相隨라.
명 유 왕 법 상 계   암 유 귀 신 상 수

惟正可守요 心不可欺니 戒之戒之하라.
유 정 가 수   심 불 가 기   계 지 계 지

〈5-26-2〉尊 높을 존. 恕 용서할 서. 識 알 식. 順 따를 순. 拒 막을 거. 追 쫓을 추. 遇 만
날 우. 望 바랄 망. 已 이미 이. 過 지날 과. 昧 어두울 매. 損 덜 손. 依 의지할
의. 相 따를 상. 爲 ~때문에 위. 節 절제할 절. 廉 청렴할 렴.

127

"평생에 스스로 경계하기를 그대에게 권하노니, 감탄하며 놀라고 두려워하라. 위로는 하늘의 거울로써 굽어보고 아래로는 지신(地神)으로써 살피며, 밝은 곳에는 왕법(王法)이 서로 이어지고 어두운 곳에는 귀신이 어울려 따르느니라. 오직 올바름은 지켜야 하고 마음은 속일 수 없으니 경계하고 또 경계하라."

〈5-26-3〉 勸 권할 권. 警 경계할 경. 歎 탄식할 탄. 驚 놀랄 경. 두려울 외. 王法 나라의 법. 祇 땅귀신(地神) 기. 欺 속일 기.

安分篇(안분편)

만족할 줄 알아야 한다.

6-01

景行錄云 知足可樂이요 務貪則憂니라.
경 행 록 운 지 족 가 락　　　무 탐 즉 우

《경행록》에 이르기를, "만족할 줄 알면 즐거울 수 있고, 탐욕에 힘쓴다면 근심이니라."

6-02

知足者는 貧賤亦樂이요 不知足者는 富貴亦憂니라.
지 족 자　　빈 천 역 락　　　불 지 족 자　　부 귀 역 우

"만족할 줄 아는 사람은 가난하고 신분이 낮아도 즐거울 것이고, 만족할 줄 모르는 사람은 재물이 많고 신분이 귀하여도 근심하느니라."

〈6-01〉分 분수 분. 足 족할 족. 務 힘쓸 무. 貪 탐할 탐. 憂 근심할 우.
〈6-02〉貧 가난할 빈. 賤 낮을 천.

6-03

濫想徒傷神이요 妄動反致禍니라.
남 상 도 상 신   망 동 반 치 화

"지나친 생각은 공연히 정신을 상하고, 어긋난 행동은 도리어 재앙을
부르느니라."

6-04

知足常足이면 終身不辱하고 知止常止면 終身無恥니라.
지 족 상 족   종 신 불 욕   지 지 상 지   종 신 무 치

"만족할 줄 알아서 항상 만족한다면 종신토록 욕되지 않고, 멈출 줄 알
아서 언제라도 멈춘다면 종신토록 부끄러움이 없느니라."

6-05

書曰 滿招損하고 謙受益이니라.
서 왈 만 초 손   겸 수 익

《서전(書傳)》에 말하였다. "교만하면 손해를 부르고, 겸손하면 이익을
얻느니라."

❖ 《서경(書經)》〈대우모편(大禹謨篇)〉에 나오는 말이다.
• 《書經》 : 삼경(三經)의 하나로 중국 요순(堯舜) 때부터 주(周)나라 때까지

〈6-03〉濫 넘칠 람. 徒 한갓, 헛될 도. 妄 어그러질 망. 反 도리어 반. 致 부를 치.
〈6-04〉終 마칠 종. 辱 욕될 욕. 恥 부끄러울 치.
〈6-05〉滿 교만할 만. 招 부를 초. 謙 겸손할 겸. 受 받을 수.

정사(正史)에 관한 내용을 기록한 것인데, 공자가 수집하여 편찬하였으며 후에 송(宋)나라의 채침(蔡沈)이 해설한 것을 《서전(書傳)》이라고 하며, 모두 20권 58편으로 되어 있다.

6-06

安分吟曰 安分身無辱이요 知幾心自閑이라.
안 분 음 왈 안 분 신 무 욕　　　지 기 심 자 한

雖居人世上이나 却是出人間이니라.
수 거 인 세 상　　　각 시 출 인 간

《안분음》에 말하였다. "분수(分數)에 편안하면 몸에 욕됨이 없고, 조짐을 알면 마음이 저절로 한가하느니라. 비록 인간 세상에 살고 있으나 도리어 인간을 벗어나는 것이니라."

- 《安分吟》: 송(宋)나라 때의 안분시(安分詩)를 말하는데 저자는 미상이며, 원본(淸州本)에는 《격양시(擊壤詩)》로 표시되어 있다.

6-07

子曰 不在其位하얀 不謀其政이니라.
자 왈 불 재 기 위　　　불 모 기 정

공자께서 말씀하셨다.

"그 지위에 있지 않고는 그 정사를 도모하지 않느니라."

〈6-06〉 吟 읊을 음. 辱 욕될 욕. 機 기미, 조짐 기. 却 도리어 각.

存心篇(존심편)

마음을 삼가 보존한다.

7-01

景行錄云 坐密室如通衢하고
경 행 록 운 좌 밀 실 여 통 구

馭寸心如六馬하면 **可免過**니라.
어 촌 심 여 륙 마　　　가 면 과

《경행록》에 이르기를, "내밀한 방에 앉아 있어도 사방이 통하는 거리
에 앉아있듯이 하고, 한 조각 마음 부리기를 여섯 필의 말을 부리듯이
하면 허물을 면할 수 있느니라."

7-02

擊壤詩云 富貴如將智力求면 **仲尼年少合封侯**라.
격 양 시 운 부 귀 여 장 지 력 구　　중 니 년 소 합 봉 후

〈7-01〉密 은밀할 밀. 衢 거리 구. 馭 몰, 부릴 어. 寸 마디, 조각, 작을 촌.

世人不解靑天意하고 空使身心半夜愁니라.
세 인 불 해 청 천 의　　공 사 신 심 반 야 수

〈격양시〉에 이르기를, "부귀를 만일 지혜의 힘을 가지고서 구한다면 중니(仲尼 : 공자)가 젊어서 제후에 봉해졌어야 합당하니라. 세상 사람들은 푸른 하늘의 뜻을 이해하지 못하고 부질없이 몸과 마음을 부려 한밤중에 근심하느니라."

• 《擊壤詩》: 송(宋)나라 때 소옹(邵雍)이 지은 《이천격양시집(伊川擊壤詩集)》으로 20권으로 되어 있다.

• 仲尼 : 孔子의 字이다.

7-03

范忠宣公 戒子弟曰 人雖至愚나 責人則明하고
범 충 선 공 계 자 제 왈 인 수 지 우　　책 인 즉 명

雖有聰明이나 恕己則昏이니
수 유 총 명　　서 기 즉 혼

爾曹는 但當以責人之心으로 責己하고
이 조　　단 당 이 책 인 지 심　　책 기

恕己之心으로 恕人이면 則不患不到聖賢地位也니라.
서 기 지 심　　서 인　　즉 불 환 불 도 성 현 지 위 야

범충선공이 자제들을 경계하여 말하였다.

〈7-02〉 擊 칠 격. 壤 흙덩이 양. 如 만일 ~한다면. 將 써, 가질 장. 年 나이 년. 少 젊을 소. 仲 버금 중. 尼 가까울 니. 合 맞을 합. 封 봉할 봉. 侯 제후 후. 解 깨달을 해. 空 부질없을 공. 使 하여금 사. 半夜 한밤중. 愁 근심할 수

〈7-03〉 范 성 범. 宣 펼 선. 戒 경계할 계. 至 매우, 지극히 지. 昏 어두울 혼. 曹 무리 조. 責 책망할 책. 恕 용서할 서. 曹 무리 조. 患 근심 환. 到 이를 도. 賢 어질 현.

"사람이 비록 지극히 어리석어도 남을 질책하는 데에 밝고, 비록 총명하여도 자기를 용서하는 데에 어두우니, 너희들은 다만 마땅히 남을 질책하는 마음으로 자기를 질책하고 자기를 용서하는 마음으로 남을 용서 한다면, 성현의 지위에 이르지 못함을 근심할 것 없느니라."

- 范忠宣公 : 중국 북송(北宋) 때의 재상으로, 이름은 순인(純仁)이며 시호는 충선(忠宣)이다. 인종(仁宗) 때의 명신 범중엄(范仲淹)의 둘째 아들이다.

7-04

子曰 聰明思睿라도 守之以愚하고
자 왈 총 명 사 예   수 지 이 우

功被天下라도 守之以讓하고
공 피 천 하   수 지 이 양

勇力振世라도 守之以怯하고
용 력 진 세   수 지 이 겁

富有四海라도 守之以謙이니라.
부 유 사 해   수 지 이 겸

공자께서 말씀하셨다.

"총명하고 슬기로워도 우둔함으로써 지켜야 하고, 공으로 천하를 덮어도 사양함으로써 지켜야 하고, 용맹으로 세상에 떨쳐도 겁약함으로써 지켜야 하고, 부유함으로 세상을 다 가져도 겸손함으로써 지켜야 하느니라."

〈7-04〉睿 밝을, 슬기로울 예. 被 덮을 피. 振 떨칠 진. 怯 겁낼 겁.

7-05

素書云 薄施厚望者는 不報하고
소 서 운 박 시 후 망 자　불 보

貴而忘賤者는 不久니라.
귀 이 망 천 자　불 구

《소서》에 이르기를, "박하게 베풀고 후하게 바라는 사람은 보답 받지
못하고, 귀해지고서 천한 때를 잊는 사람은 오래가지 못하느니라."

- 《素書》: 한(漢)나라 때의 황석공(黃石公)이 지은 책으로, 그 후 송(宋)나라
  의 장상영(張商英)이 주(註)를 달았다.

7-06

施恩이어든 勿求報하고 與人이어든 勿追悔하라.
시 은　　　　물 구 보　　　여 인　　　　물 추 회

"은혜를 베풀거든 보답을 구하지 말고, 남에게 주거든 뒤따라 후회하
지 말라."

7-07

孫思邈曰 膽欲大而心欲小하고 知欲圓而行欲方이니라.
손 사 막 왈 담 욕 대 이 심 욕 소　　　지 욕 원 이 행 욕 방

〈7-05〉素 흴, 비단 소. 薄 얇을 박. 厚 두터울 후. 久 오랠 구.
〈7-06〉與 줄 여. 追 뒤따를 추. 悔 뉘우칠 회.
〈7-07〉邈 멀 막. 膽 쓸개, 기백 담. 圓 둥글 원. 方 반듯할 방.

손사막이 말하였다.

"담력(膽力)은 크게 가지고자 하되 마음은 세심(細心)하고자 하고, 지혜는 원만(圓滿)히 가지고자 하되 행동은 방정(方正)하고자 할지니라."

• 孫思邈 : 당(唐)나라 때의 명의(名醫)로 《천금방(千金方)》 93권을 저술하였다.

7-08

念念要如臨戰日하고 心心常似過橋時니라.
넘 넘 요 여 임 전 일   심 심 상 사 과 교 시

"생각하는 것마다 중요함이 싸움에 임하듯이 하고, 마음 쓰는 것마다 변함없음이 다리를 지나듯이 하느니라."

7-09

懼法朝朝樂이요 欺公日日憂니라.
구 법 조 조 락   기 공 일 일 우

"법령(法令)을 두려워하면 아침마다 즐겁고, 공사(公事)를 속이면 날마다 근심이니라."

〈7-08〉臨 임할 림. 常 변함없을 상. 似 같을 사. 過 지날 과. 橋 다리 교. 念念 항상 마음에 둠. 유의함. 생각마다. 心心 마음 쓰는 것마다.
〈7-09〉懼 두려울 구. 朝 아침 조. 公 공변될 공. 欺 속일 기. 朝朝 아침마다. 日日 날마다.

7-10

朱文公曰 守口如瓶하고 防意如城하라.
주 문 공 왈 수 구 여 병　　　방 의 여 성

주문공이 말하였다.

"입 지키기를 병과 같이 하고, 생각 막기를 성과 같이 하라."

- 朱文公 : 남송(南宋) 때의 대학자인 주자(朱子)를 일컬은 것이니, 이름은
  희(熹)이고 자는 원회(元晦) 또는 중회(仲晦)이며 호는 회암(晦庵), 문공(
  文公)은 시호이다. 성리학(性理學)을 대성시켰으며 이를 주자학(朱子學)
  이라 한다. 《소학(小學)》,《근사록(近思錄)》,《사서집주(四書集註)》등을
  지었다.

7-11

心不負人이면 面無慙色이니라.
심 불 부 인　　　면 무 참 색

"마음으로 남에게 지지 않는다면 얼굴에 부끄러운 빛이 없느니라."

7-12

人無百歲人이나 枉作千年計니라.
인 무 백 세 인　　　왕 작 천 년 계

〈7-10〉瓶 병 병. 防 막을 방.
〈7-11〉負 질 부. 慙 부끄러울 참. 色 낯빛 색.
〈7-12〉枉 헛될, 잘못될 왕. 計 세울, 꾀할 계.

"사람은 백 살 사는 사람이 없으나, 부질없이 천 년 계획을 세우느니라."

7-13

寇萊公六悔銘云
구 래 공 육 회 명 운

官行私曲失時悔요 富不儉用貧時悔요
관 행 사 곡 실 시 회   부 불 검 용 빈 시 회

藝不少學過時悔요 見事不學用時悔요
예 불 소 학 과 시 회   견 사 불 학 용 시 회

醉後狂言醒時悔요 安不將息病時悔니라.
취 후 광 언 성 시 회   안 불 장 식 병 시 회

《구래공 육회명》에 이르기를, "관리는 잘못된 일을 행하면 지위를 잃
을 때 후회하고, 부자는 검소하게 쓰지 않으면 가난해질 때 후회하고,
재주는 젊어서 배우지 않으면 때 지나고서 후회하고, 일을 보고서 배
우지 않으면 써야할 때 후회하고, 술 취한 후 경망한 말을 하면 깰 때
후회하고, 편안할 때 양생하지 않으면 병들 때 후회하느니라."

- 寇萊公 : 북송(北宋) 진종(眞宗) 때의 재상으로, 성은 구(寇)이고 이름은 준
  (準)이며 자는 평중(平仲)이다. 내국공(萊國公)에 봉해졌기 때문에 '구래공'
  이라 불리었다.

〈7-13〉六悔銘 여섯 가지 후회스러운 일을 경계한 글. 將息 양생(養生). 官 벼슬, 관리 관.
藝 재주 예. 醉 취할 취. 狂 경망할 광. 醒 술 깰 성. 將 기를 장. 息 기를 식. 攝 도
울, 다스릴, 양생할 섭.

7-14

益智書云
익 지 서 운

寧無事而家貧이언정 莫有事而家富요
녕 무 사 이 가 빈   막 유 사 이 가 부

寧無事而住茅屋이언정 不有事而住金屋이요
녕 무 사 이 주 모 옥   불 유 사 이 주 금 옥

寧無病而食麤飯이언정 不有病而服良藥이니라.
녕 무 병 이 식 추 반   불 유 병 이 복 양 약

《익지서》에 이르기를, "차라리 무사하고 집안이 가난할지언정 사건이
있고 집안이 부유할 것은 아니고, 차라리 무사하고 초가집에 살지언정
사건이 있고 화려한 집에 살 것은 아니고, 차라리 병이 없고 거친 밥을
먹을지언정 병이 있고 좋은 약을 복용할 것은 아니니라."

7-15

心安茅屋穩이요 性定菜羹香이니라.
심 안 모 옥 온   성 정 채 갱 향

"마음이 편안하면 초가집도 편안하고, 성품이 안정되면 나물국도 향
긋하니라."

〈7-14〉寧 차라리 녕. 莫 말 막. 住 살 주. 茅 띠풀 모 . 屋 집 옥 . 麤 거칠 추. 飯 밥 반.
　　　 服 먹을 복. 良 좋을 량. 藥 약 약.
〈7-15〉穩 편안할 온. 菜 나물 채. 羹 국 갱.

7-16

景行錄云 責人者는 不全交요 自恕者는 不改過니라.
경 행 록 운 책 인 자　부 전 교　　자 서 자　　불 개 과

《경행록》에 이르기를, "남을 질책하는 사람은 교제를 온전히 못하고, 자신을 용서하는 사람은 허물을 고지지 못하니라."

7-17

夙興夜寐하여 所思忠孝者는
숙 흥 야 매　　소 사 충 효 자

人不知나 天必知之요
인 부 지　　천 필 지 지

飽食煖衣하여 怡然自衛者는
포 식 난 의　　이 연 자 위 자

身雖安이나 其如子孫何오.
신 수 안　　기 여 자 손 하

"아침 일찍 일어나 밤늦게 잠들어 충효를 생각하는 사람은 남이 알아주지 않으나 하늘은 반드시 알아주고, 배불리 먹고 따뜻하게 입어 기쁘게 자신을 지키는 사람은 자기 몸은 비록 편안하지만 그 자손은 어찌 하리오?"

〈7-16〉 全 온전할 전. 過 허물 과.
〈7-17〉 夙興夜寐 아침 일찍 일어나고 밤늦게 잠들 때까지 부지런하고 성실하게 살아가는 삶을 말함. 夙 일찍 숙. 興 일어날 흥. 寐 잠잘 매. 所 바 소. 飽 배부를 포. 煖 따뜻할 난. 衣 옷 입을 의. 怡 기뻐할 이. 怡然 기뻐하는 모양. 衛 지킬 위.

7-18

以愛妻子之心으로 事親則曲盡其孝요
이 애 처 자 지 심   사 친 즉 곡 진 기 효

以保富貴之心으로 奉君則無往不忠이요
이 보 부 귀 지 심   봉 군 즉 무 왕 불 충

以責人之心으로 責己則寡過요
이 책 인 지 심   책 기 즉 과 과

以恕己之心으로 恕人則全交니라.
이 서 기 지 심   서 인 즉 전 교

"처자를 아끼는 마음으로 어버이를 섬긴다면 그 효도에 정성을 다할 것이고, 부귀를 보전하는 마음으로 임금을 받든다면 언제나 불충이 없을 것이고, 남을 책망하는 마음으로 자기를 책망한다면 허물이 적을 것이고, 자기를 용서하는 마음으로 남을 용서한다면 교제를 온전하게 할 것이니라."

7-19

爾謀不臧이면 悔之何及이며
이 모 불 장   회 지 하 급

爾見不長이면 敎之何益이리오.
이 견 불 장   교 지 하 익

利心專則背道요 私意確則滅公이니라.
리 심 전 즉 배 도   사 의 확 즉 멸 공

〈7-18〉 事 섬길 사. 親 어버이 친. 則 ~하면. 曲 곡진할, 간절할, 정성 곡. 盡 다할 진. 奉 받들 봉. 往 언제나 왕. 寡 적을 과. 交 사귈 교. 無不 ~하지 않음이 없다. 無往不 어디를 가더라도 ~하지 않음이 없다.

〈7-19〉 爾 너 이. 謀 꾀, 계책 모. 臧 착할 장. 何 이를, 미칠 급. 專 전일할 전. 背 등질 배. 確 굳을, 강할 확. 滅 멸할 멸. 公 공변될 공.

"너의 지모(智謀)가 착하지 못하면 후회해도 어찌 미칠 것이며, 너의 소견(所見)이 좋지 못하면 가르쳐도 무슨 이로움이 있으리오? 이익을 구하는 마음에 매달리면 도심(道心)을 등지고, 사사로운 생각이 강하면 공정심(公正心)을 사라지게 하니라."

7-20

生事事生이요 **省事事省**이니라.
생 사 사 생　　　　생 사 사 생

"일을 내면 일이 생기고, 일을 덜면 일이 덜어지느니라."

〈7-20〉生 날 생. 省 덜 생.

戒性篇(계성편)

본성을 지켜야 한다.

8-01

景行錄云 人性如水_{하여}
경 행 록 운 인 성 여 수

水一傾則不可復_{이요} 性一縱則不可反_{이니}
수 일 경 즉 불 가 복　　　성 일 종 즉 불 가 반

制水者_는 必以堤防_{하고} 制性者_는 必以禮法_{이니라.}
제 수 자　　필 이 제 방　　　제 성 자　　필 이 예 법

《경행록》에 이르기를, "사람의 성정(性情)은 물과 같아서 물은 한 번
기울면 회복할 수 없고 성정도 한 번 방종하면 돌이킬 수 없으니, 물을
다스리는 것은 반드시 제방(堤防)으로써 하고 성정을 다스리는 것은
반드시 예법(禮法)으로써 하느니라."

〈8-01〉傾 기울어질 경. 復 돌아갈, 회복할 복. 縱 놓을 종. 反 돌이킬, 돌아올 반. 制 부릴,
다스릴 제. 堤 둑 제. 防 둑 방.

8-02

忍一時之忿이면 免百日之憂니라.
인 일 시 지 분   면 백 일 지 우

"한때의 분노를 참으면 백날의 우환을 면하느니라."

8-03

得忍且忍하고 得戒且戒하라. 不忍不戒면 小事成大니라.
득 인 차 인   득 계 차 계   불 인 불 계   소 사 성 대

"참을 수 있으면 또 참고, 경계할 수 있으면 또 경계하라. 참지 않고 경계하지 않으면 작은 일도 크게 되느니라."

8-04

愚濁生嗔怒는 皆因理不通이라.
우 탁 생 진 노   개 인 리 불 통

休添心上火하고 只作耳邊風하라.
휴 첨 심 상 화   지 작 이 변 풍

長短家家有요 炎凉處處同이라.
장 단 가 가 유   염 량 처 처 동

是非無實相하여 究竟摠成空이니라.
시 비 무 실 상   구 경 총 성 공

⟨8-02⟩ 忍 참을 인. 忿 성낼 분. 免 면할 면.
⟨8-04⟩ 濁 흐릴 탁. 嗔 성낼 진. 因 인할 인. 休 말 휴. 添 더할 첨. 邊 가 변. 炎 더울 염. 凉 서늘할 량. 炎凉 세력의 성함과 약함을 의미한다. 實 진실할 실. 究 궁극, 다할 구. 竟 마침내 경. 究竟 결국. 마침내.

"어리석은 사람이 성내는 것은 모두 이치가 통하지 않기 때문이니라. 마음에 불을 더하지 말고 단지 귓가에 이는 바람으로 만들어라. 장점과 단점은 집집마다 있고, 따뜻함과 서늘함은 곳곳마다 같으니라. 옳고 그름은 실제의 모양이 없어서 결국은 모두 공허한 것이니라."

8-05-1

子張이 欲行에 辭於夫子할새
자 장 욕 행 사 어 부 자

願賜一言爲修身之美하노이다.
원 사 일 언 위 수 신 지 미

子曰 百行之本이 忍之爲上이니라.
자 왈 백 행 지 본 인 지 위 상

子張曰 何爲忍之닛고.
자 장 왈 하 위 인 지

子曰 天子忍之면 國無害하고
자 왈 천 자 인 지 국 무 해

諸侯忍之면 成其大하고 官吏忍之면 進其位하고
제 후 인 지 성 기 대   관 리 인 지 진 기 위

兄弟忍之면 家富貴하고 夫妻忍之면 終其世하고
형 제 인 지 가 부 귀   부 처 인 지 종 기 세

朋友忍之면 名不廢하고 自身忍之면 無禍害니라.
붕 우 인 지 명 불 폐   자 신 인 지 무 화 해

자장이 떠나려고 선생(夫子: 공자)께 하직할 때 "수신(修身)의 미덕(美德)으로 삼을 한 마디 말씀 내려 주시기를 바라나이다."

〈8-05-1〉辭 하직할 사. 願 원할 원. 賜 줄 사. 何爲 무엇 때문에. 侯 제후 후. 吏 아전 리. 位 지위 위. 朋 벗 붕. 廢 폐할, 깨질 폐.

공자께서 말씀하셨다. "모든 행실의 근본은 참는 것이 으뜸이 되느니라."
자장이 말하였다. "무엇 때문에 참아야 합니까?"
공자께서 말씀하셨다. "천자가 참으면 나라에 위해(危害)가 없고, 제
후가 참으면 큰 나라를 이루고, 관리가 참으면 그 지위(地位)를 나아가
고, 형제간에 참으면 집안이 부귀해지고, 부부간에 참으면 그 세대를
같이 마치고, 친구사이에 참으면 명예가 깨지지 않고, 자신이 참으면
재앙과 해로움이 없느니라."

- 子張 : 공자의 제자로, 성은 전손(顓孫)이고 이름은 사(師)이며 자장은 자
  (字)이다.
- 《논어》〈위정편(爲政篇)〉에도 자장이 공자에게 벼슬을 구하는 방법에 대
  해 묻는 대목이 보인다.

8-05-2

子張曰 不忍則如何있고
자 장 왈 불 인 즉 여 하

子曰 天子不忍이면 國空虛하고
자 왈 천 자 불 인　　국 공 허

諸侯不忍이면 喪其軀하고 官吏不忍이면 刑法誅하고
제 후 불 인　　상 기 구　　관 리 불 인　　형 법 주

兄弟不忍이면 各分居하고 夫妻不忍이면 令子孤하고
형 제 불 인　　각 분 거　　부 처 불 인　　령 자 고

朋友不忍이면 情意疎하고 自身不忍이면 患不除니라.
붕 우 불 인　　정 의 소　　자 신 불 인　　환 부 제

〈8-05-2〉虛 빌 허. 喪 잃을 상. 軀 몸 구. 刑 형벌 형. 誅 다스릴 주. 令 하여금 령. 疎 소
원할 소. 除 덜 제.

子張曰 善哉善哉라. 難忍難忍이여.

자 장 왈 선 재 선 재　　　 난 인 난 인

非人不忍이요 不忍非人이로다.

비 인 불 인　　　불 인 비 인

자장이 말하였다. "참지 않으면 어찌 됩니까?"

공자께서 말씀하셨다.

"천자가 참지 않으면 나라가 공허하고, 제후가 참지 않으면 그 몸을 죽이고, 관리가 참지 않으면 형법이 벌주고, 형제간에 참지 않으면 각각 분리되어 살고, 부부간에 참지 않으면 자식을 외롭게 만들고, 친구사이에 참지 않으면 정의가 멀어지고, 자신이 참지 않으면 근심이 사라지지 않느니라."

자장이 말하였다. "좋구나, 좋아! 참는 것이 어렵도다! 참는 것이 어렵도다! 사람이 아니면 참지 못할 것이고, 참지 못하면 사람이 아니로다!"

8-06

景行錄云

경 행 록 운

屈己者는 能處重하고 好勝者는 必遇敵이니라.

굴 기 자　　 능 처 중　　 호 승 자　　 필 우 적

《경행록》에 이르기를, "자기를 굽히는 사람은 중요한 자리에 처할 수 있고, 이기기 좋아하는 사람은 반드시 적을 만나느니라."

〈8-06〉屈 굽힐 굴. 處 처할 처. 勝 이길 승. 遇 만날 우. 敵 원수 적.

8-07

惡人罵善人커든 善人摠不對하라.
악 인 매 선 인   선 인 총 불 대

善人若返罵하면 彼此無智慧니라.
선 인 약 반 매   피 차 무 지 혜

不對心淸閑이요 罵者口熱沸하니
불 대 심 청 한   매 자 구 열 비

正如人唾天하여 還從己身墜니라.
정 여 인 타 천   환 종 기 신 추

"악한 사람이 선한 사람을 욕하거든 선한 사람은 아예 대꾸하지 말라.
선한 사람이 만약 욕을 되받아치면 저 사람이나 이 사람이나 지혜가
없는 것이니라. 대꾸하지 않으면 마음이 맑으며 한가하고, 욕하는 사
람은 입이 뜨겁게 끓느니라. 바로 사람이 하늘로 침을 뱉는 것과 같아
서 도로 자기 몸을 따라 떨어지는 것이니라."

8-08

我若被人罵라도 佯聾不分說하라.
아 약 피 인 매   양 롱 불 분 설

譬如火燒空하여 不救自然滅이라.
비 여 화 소 공   불 구 자 연 멸

鎭火亦如是어늘 有物遭他熱이라.
진 화 역 여 시   유 물 조 타 열

〈8-07〉罵 욕할 매. 摠(=總) 모두, 모조리, 죄다 총. 若 만약 약. 返 되돌릴 반. 彼 저 피. 此
이 차. 智 지혜 지. 慧 지혜 혜. 淸閑 마음이 맑고 한가로움. 熱 뜨거울 열. 沸 끓
을 비. 正 바로 정. 正如 바로 ~과 같다. 唾 침 뱉을 타. 還 도로 환. 墜 떨어질 추.

我心等虛空이어늘 摠爾飜脣舌이니라.
아 심 등 허 공   총 이 번 순 설

"내가 만약 남의 욕을 당할지라도 거짓 귀먹은 체하고 따져 말하지 말
라. 비유하자면 불이 허공을 태우는 것과 같아서 끄지 않아도 자연히
사라지느니라. 불 끄는 것 역시 이와 같거늘 사물이 있으면 다른 불꽃
을 만나니라. 나의 마음이 허공과 같거늘 모조리 너의 입술과 혀를 나
불대는 것이니라."

8-09

凡事留人情이면 後來好相見이니라.
범 사 류 인 정   후 래 호 상 견

"모든 일에 인정(人情)을 남겨두면 훗날에 서로 만나보기 좋으니라."

〈8 08〉被 당할 피. 佯 거짓 양. 聾 귀먹을 롱. 分 분별할 분. 譬 비유할 비. 譬如 비유하
  자면 ～와 같다. 燒 불태울 소. 救 구원할 구. 救火 불을 끄다. 等 같을 등. 摠 모
  조리 총. 爾 너 이. 飜 나부낄 번. 脣 입술 순. 舌 혀 설.
〈8-09〉凡 모든 범. 留 남겨둘 류. 情 뜻 정.

勤學篇(근학편)

학문은 인간의 조건이다.

9-01

子夏曰 博學而篤志하며
자 하 왈 박 학 이 독 지

切問而近思면 仁在其中矣니라.
절 문 이 근 사 인 재 기 중 의

자하가 말하였다.

"배움을 넓히고 뜻을 두터이 하며 묻기를 간절히 하고 생각을 가깝게

하면, 인(仁)이 그 가운데 있느니라."

❖《논어(論語)》〈자장편(子張篇)〉에 나오는 말이다.

〈9-01〉近思 높고 원대함을 생각하는 것이 아니라 자기 주변 가까이 견주어 생각하는 것. 勤
　　　부지런할 근. 博 넓을 박. 篤 두터울 독. 切 간절할 절. 矣 어조사 의.

9-02

莊子曰 人之不學은 如登天而無術하고
장 자 왈 인 지 불 학   여 등 천 이 무 술

學而智遠은 如披祥雲而覩靑天하며
학 이 지 원   여 피 상 운 이 도 청 천

登高山而望四海니라.
등 고 산 이 망 사 해

장자가 말하였다.

"사람이 배우지 않음은 하늘에 오르는 데 방법이 없는 것과 같고, 배
워서 지혜가 고원(高遠)해짐은 상서로운 구름을 헤치고 푸른 하늘을
보며 높은 산에 올라 온 세상을 바라보는 것과 같으니라."

9-03

禮記曰 玉不琢이면 不成器하고
예 기 왈 옥 불 탁   불 성 기

人不學이면 不知道니라.
인 불 학   불 지 도

《예기》에 말하였다. "옥은 쪼아내지 않으면 그릇을 만들지 못하고, 사
람은 배우지 않으면 도리(道理)를 알지 못하니라."

〈9-02〉術 방법 술. 遠 멀 원. 披 헤칠 피. 覩 볼 도. 望 바라볼 망.
〈9-03〉禮 예도 례. 琢 쪼을 탁. 器 그릇 기.

9-04

太公曰 人生不學이면 冥冥如夜行이니라.
태 공 왈 인 생 불 학　　　 명 명 여 야 행

태공이 말하였다.

"사람의 삶이 배우지 않으면, 캄캄한 것이 밤길 가는 것과 같으니라."

9-05

韓文公曰 人不通古今이면 馬牛而襟裾니라.
한 문 공 왈 인 불 통 고 금　　　 마 우 이 금 거

한문공이 말하였다.

"사람이 고금에 통달하지 못하면, 마소에 옷을 입힌 것이니라."

- 韓文公(768~824) : 당(唐)나라 덕종(德宗) 때 학자로, 이름은 유(愈)이고
  자는 퇴지(退之)이다. 당송(唐宋) 팔대가(八大家)의 한 사람으로《창려선생
  집(昌黎先生集)》이 있다.

9-06

朱文公曰 家若貧이라도 不可因貧而廢學이요
주 문 공 왈 가 약 빈　　　 불 가 인 빈 이 폐 학

家若富라도 不可恃富而怠學이니
가 약 부　　　 불 가 시 부 이 태 학

〈9-04〉冥 어두울 명. 冥冥 어두운 모양.
〈9-05〉襟 옷깃 금. 裾 옷자락 거.

貧若勤學이면 可以立身이요

富若勤學이면 名乃光榮이니라.

惟見學者顯達이요 不見學者無成이니

學者乃身之寶요 學者乃世之珍이니라.

是故로 學則乃爲君子요 不學則爲小人이니

後之學者는 宜各勉之니라.

주문공이 말하였다.

"집안이 가난하더라도 가난함으로 인하여 배움을 그만둘 수 없고, 집
안이 부유하더라도 부유함을 믿고 배움을 게을리 할 수 없으니, 가난
하여도 배움을 부지런히 한다면 출세할 수가 있고, 부유하여도 배움을
부지런히 한다면 이름이 영광될 것이니라. 오직 공부하는 사람이 현달
하는 것을 보았고, 공부하는 사람이 성공하지 못하는 것을 보지 못했
으니, 학문은 곧 몸의 보배이고, 학자는 곧 세상의 보배니라. 그러므
로 배우면 군자가 될 것이고 배우지 않으면 소인이 될 것이니, 훗날에
배우는 사람들은 마땅히 각자 배움에 힘써야 하느니라."

〈9-06〉 朱文公 주자(朱子)를 말함. 朱 붉을 주. 不可 ~할 수 없다. 因 인할 인. 廢 폐할
폐. 恃 믿을 시. 怠 게으를 태. 可以 ~로써 ~할 수 있다. 惟見 ~ 不見 ~ 오직~
하는 것만은 보았으되, ~하는 것은 보지 못했다. 榮 영화 영. 顯 드러날 현. 達 달
할 달. 顯達 벼슬이나 덕망이 높아서 이름을 세상에 드날림. 珍 보배 진. 乃 곧 내.
宜 마땅 의. 勉 힘쓸 면.

徽宗皇帝勤學文曰
휘 종 황 제 근 학 문 왈

好學者는 如禾如稻요 不學者는 如蒿如草로다.
호 학 자   여 화 여 도   불 학 자   여 호 여 초

如禾如稻兮여 國之精糧이요 世之大寶며
여 화 여 도 혜   국 지 정 량   세 지 대 보

如蒿如草兮여 耕者憎嫌하고 鋤者煩惱니라.
여 호 여 초 혜 여   경 자 증 혐   서 자 번 뇌

他日面墻에 悔之已老로다.
타 일 면 장   회 지 이 노

《휘종황제 근학문》에 말하였다. "배우기를 좋아하는 사람은 곡식이나 벼와 같고, 배우지 않는 사람은 쑥이나 풀과 같도다. 곡식이나 벼와 같음은 나라의 좋은 양식이고 세상의 큰 보배이며, 쑥이나 풀과 같음은 밭가는 사람이 미워하며 싫어하고 김매는 사람이 번뇌하느니라. 어느 날엔가 담벼락을 맞닥뜨릴 적에 후회하면 이미 늙어버렸도다."

- 徽宗皇帝(1082~1135) : 북송(北宋)의 제 8대 황제로 이름은 조길(趙佶)이다. 서화(書畵)에도 뛰어난 재주가 있었으나 간신 채경(蔡京) 등을 등용하여 정치가 혼란에 빠졌으며, 끝내 금(金)나라 군대에게 사로잡혀가서 죽었다.

〈9-07〉徽 아름다울 휘. 勤 부지런할 근. 稻 벼 도. 蒿 쑥 호. 精 곱게 찧을 정. 糧 곡식 량. 嫌 싫어할 혐. 鋤 김맬 서. 煩 번거로울 번. 惱 번뇌할 뇌. 墻 담 장. 悔 뉘우칠 회. 已 이미 이. 面墻 (울타리를 대한다는 뜻으로) 앞날을 내다보지 못함. 또는 견식(見識)이 좁음을 비유하여 이르는 말.

論語曰 學如不及_{이요} 猶恐失之_{니라.}
논 어 왈 학 여 불 급　　　유 공 실 지

《논어》에 말하였다. "학문은 미치지 못할 것 같이 하고, 오히려 잃을까
염려할지니라."

❖ 《논어(論語)》〈태백편(太伯篇)〉에 나오는 말이다.

• 《論語》: 사서(四書)의 하나로, 공자(孔子)가 죽은 뒤에 제자들이 그의 행
  실과 말을 모아 엮은 책으로, 7권 20편으로 되어 있는 유교(儒敎)의 대표
  적 경전(經典)이다.

〈9-08〉 猶 오히려 유. 恐 두려울 공. 失 잃을 실

訓子篇(훈자편)

교육은 미래의 힘이다.

10-01

景行錄云 賓客不來면 門戶俗하고
경 행 록 운 빈 객 불 래　　문 호 속

詩書無敎면 子孫愚니라.
시 서 무 교　　　자 손 우

《경행록》에 이르기를, "손님이 찾아오지 않으면 가문이 비속(卑俗)해
지고, 시와 서를 가르치지 않으면 자손이 어리석으니라."

10-02

莊子曰 事雖小나 不作不成이오
장 자 왈 사 수 소　　부 작 불 성

子雖賢이나 不敎不明이니라.
자 수 현　　　불 교 불 명

〈10-01〉 賓客 손님. 門 양쪽 문(대문). 戶 외짝 문(방문). 門戶 가문을 이르는 말. 俗 속될
속. 愚 어리석을 우

156

장자가 말하였다.

"일이 비록 작더라도 행하지 않으면 이루지 못하고, 자식이 비록 뛰어나더라도 가르치지 않으면 밝지 못하느니라."

10-03

漢書云 黃金滿籯이 不如敎子一經이요
한 서 운 황 금 만 영　　 불 여 교 자 일 경

賜子千金이 不如敎子一藝니라.
사 자 천 금　　 불 여 교 자 일 예

《한서》에 이르기를, "황금이 가득한 상자가 자식에게 한 권의 책을 가르치는 것만 같지 못하고, 자식에게 내려주는 천금이 자식에게 한 가지 재주를 가르치는 것만 같지 못하느니라."

• 《漢書》: 전한(前漢) 즉 고조(高祖)에서 왕망(王莽)까지 229년 동안의 역사를 기록한 책으로 반표(班彪)가 시작한 것을 반고(班固)가 이루었으며, 그의 누이동생인 반소(班昭)가 완성했다. 모두 120권으로 되어 있다.

10-04

至樂莫如讀書요 至要莫如敎子니라.
지 락 막 여 독 서　　 지 요 막 여 교 자

〈10-02〉 雖 비록 ~할지라도. 賢 뛰어날 현. 作 행할, 일으킬 작.
〈10-03〉 滿 가득할 만. 籯 상자 영. 不如 ~만 같지 않다. ~만 같은 것이 없다. 經 책 경.
　　　　賜 내릴 사. 藝 재주 예.

"지극히 즐거운 것은 책 읽는 것만 같은 게 없고, 지극히 중요한 것은
자식 가르치는 것만 같은 게 없느니라."

10-05

呂滎公曰 內無賢父兄하며 外無嚴師友하고
여 형 공 왈 내 무 현 부 형　　　외 무 엄 사 우

而能有成者鮮矣니라.
이 능 유 성 자 선 의

여형공이 말하였다.

"안으로 뛰어난 부모와 형이 없으며 밖으로 엄한 스승과 벗이 없고, 성
공할 수 있는 사람은 드무니라."

10-06

太公曰 男子失敎면 長必頑愚하고
태 공 왈 남 자 실 교　　장 필 완 우

女子失敎면 長必麤疏니라.
녀 자 실 교　　장 필 추 소

태공이 말하였다.

"남자가 가르침을 잃으면 장성하여 반드시 완악(頑惡)하며 어리석어지
고, 여자가 가르침을 잃으면 장성하여 반드시 거칠며 엉성해지느니라."

〈10-04〉至 지극할 지.　莫如 ~와 같은 것이 없다.　要 종요로울 요.
〈10-05〉몸 성 려.　滎 물 이름 형.　嚴 엄할 엄.　鮮 드물 선.
〈10-06〉頑 완악할 완.　麤 거칠 추.　疎 성글 소.

10-07

男年長大어든 莫習樂酒하고 女年長大어든 莫令遊走하라.
남 년 장 대　　　막 습 악 주　　　여 년 장 대　　　막 령 유 주

"남자 나이가 상대하거든 풍류와 술을 익히게 하지 말고, 여자 나이가 장대하거든 놀러 다니게 하지 말라."

10-08

嚴父出孝子하고 嚴母出孝女니라.
엄 부 출 효 자　　　엄 모 출 효 녀

"엄한 아버지는 효자를 낳고, 엄한 어머니는 효녀를 낳느니라."

10-09

憐兒多與棒하고 憎兒多與食하라.
련 아 다 여 봉　　　증 아 다 여 식

10-10

人皆愛珠玉이나 我愛子孫賢이니라.
인 개 애 주 옥　　　아 애 자 손 현

"사람들은 모두 보물을 아끼지만 나는 자손의 뛰어남을 아끼느니라."

〈10-07〉 至年 나이 년. 樂 풍류 악. 令 하여금 령. 遊 놀 유. 走 달릴 주.
〈10-09〉 憐 어여삐 여길 련. 與 줄 여. 棒 매, 몽둥이 봉. 憎 미워할 증. 食 먹거리 식

省心篇 上(성심편 상)

정의로운 마음가짐

11-01

景行錄云 寶貨는 **用之有盡**이나 **忠孝**는 **享之無窮**이니라.
경 행 록 운 보 화　　용 지 유 진　　　　충 효　　　향 지 무 궁

《경행록》에 이르기를, "보화는 쓰면 없어지나 충효는 누려도 끝이 없느니라."

11-02

家和貧也好어니와 **不義富如何**오
가 화 빈 야 호　　　　　불 의 부 여 하

但存一子孝니 **何用子孫多**리오.
단 존 일 자 효　　하 용 자 손 다

〈11-01〉貨 재물 화. 盡 다할 진. 享 누릴 향. 窮 끝 궁.
〈11-02〉和 화할 화. 如何(=何如) 어찌 하겠는가? 存 보존할 존. 何用 무엇에 쓰겠는가?

"집안이 화목하면 가난하여도 좋거니와 정의롭지 못하면 부유한들 무엇하리오? 다만 한 자식의 효도를 보존할 뿐이니, 자손의 많음을 무엇에 쓰리오?"

11-03

父不憂心因子孝요 夫無煩惱是妻賢이라.
부 불 우 심 인 자 효　부 무 번 뇌 시 처 현

言多語失皆因酒요 義斷親疎只爲錢이라.
언 다 어 실 개 인 주　의 단 친 소 지 위 전

"부모가 마음에 근심이 없는 것은 자식이 효도하기 때문이고, 남편이 번뇌가 없는 것은 아내가 현명한 것이니라. 말이 많고 실수하는 것은 모두가 술 때문이고, 의(義)가 끊어지고 친분이 소원(疎遠)해지는 것은 단지 돈 때문이니라."

11-04

旣取非常樂이어든 須防不測憂니라.
기 취 비 상 락　수 방 불 측 우

"이미 일상이 아닌 쾌락을 취했거든, 모름지기 예측하지 못할 근심을 방비해야 하느니라."

〈11-03〉憂 근심할 우. 因 인할 인. 煩 번거로울 번. 惱 번뇌할 뇌 이른 곧 ～이다. 爲 까닭 위. 斷 끊을 단. 錢 돈 전.
〈11-04〉須 모름지기 ～해야 한다. 測 예측할 측.

11-05

得寵思辱하고 居安慮危하라.
득 총 사 욕　　거 안 여 위

"총애(寵愛)를 받거든 욕될 것을 생각하고, 평안을 영위하거든 위태로울 것을 염려하라."

11-06

榮輕辱淺하고 利重害深이니라.
영 경 욕 천　　리 중 해 심

"영화(榮華)가 가벼우면 치욕이 얕고, 이익이 무거우면 해악이 깊으니라."

11-07

甚愛必甚費하고 甚譽必甚毁하며
심 애 필 심 비　　심 예 필 심 훼

甚喜必甚憂하고 甚藏必甚亡이니라.
심 희 필 심 우　　심 장 필 심 망

"너무 아끼면 반드시 매우 허비하게 되고, 너무 칭찬하면 반드시 매우

〈11-05〉寵 사랑 총. 辱 욕될 욕. 慮 생각할 려. 危 위태할 위.
〈11-06〉輕 가벼울 경. 淺 얕을 천. 害 해로울 해. 深 깊을 심.
〈11-07〉甚 심할. 매우, 너무 심. 愛 아낄 애. 費 허비할 비. 譽 칭찬할 예. 毁 헐 훼. 喜 기쁠 희. 藏 감출 장. 亡 잃을 망.

헐뜯게 되며, 너무 기뻐하면 반드시 매우 근심하게 되고, 너무 감추면
반드시 매우 잃게 되느니라."

11-08

子曰 不觀高崖면 何以知顚墜之患이며
자왈 불관고애 하이지전추지환

不臨深淵이면 何以知沒溺之患이며
불림심연 하이지몰닉지환

不觀巨海면 何以知風波之患이리오.
불관거해 하이지풍파지환

공자께서 말씀하셨다.

"높은 절벽을 관찰하지 않으면 무엇으로 굴러 떨어지는 환난(患難)을
알며, 깊은 연못에 다가가지 않으면 무엇으로 물에 빠지는 환난을 알
며, 큰 바다를 관찰하지 않으면 무엇으로 풍파의 환난을 알리오?"

❖《공자가어(孔子家語)》〈困誓篇〉과《說苑》에 나온다.

11-09

欲知未來어든 先察已然이니라.
욕지미래 선찰이연

"미래를 알고 싶거든 먼저 지나간 일을 살펴볼지니라."

〈11-08〉崖 낭떠러지 애. 何以 무엇으로써, 어떻게. 顚 엎어질 전. 墜 떨어질 추. 患 근심
환. 臨 내려다 볼 림. 沒 빠질 몰. 溺 빠질 닉. 巨 클 거
〈11-09〉察 살필 찰. 已 이미 이. 然 그러할 연. 已然 지나간 일.

11-10

子曰 明鏡所以察形이요 往古所以知今이니라.
자 왈 명 경 소 이 찰 형   왕 고 소 이 지 금

공자께서 말씀하셨다.

"밝은 거울은 형상을 살펴보는 방도이고, 지나간 옛날은 오늘을 알게

하는 방도니라."

❖ 이 글은 공자의 말인지 분명치 않다.

11-11

過去事明如鏡이요 未來事暗似漆이니라.
과 거 사 명 여 경   미 래 사 암 사 칠

"과거의 일은 밝기가 거울과 같고, 미래의 일은 어둡기가 옻칠과 같으

니라."

11-12

景行錄云 明朝之事를 薄暮不可必이요
경 행 록 운 명 조 지 사   박 모 불 가 필

薄暮之事를 晡時不可必이니라.
박 모 지 사   포 시 불 가 필

〈11-10〉鏡 거울 경. 所以 방도, 방법. 形 형상 형. 往古 지나간 옛날.
〈11-11〉鏡 거울 경. 如 같을 여. 似 같을 사. 漆 옻 칠.

《경행록》에 이르기를, "내일 아침의 일을 초저녁에 반드시 믿을 수 없고, 초저녁의 일을 오후에도 반드시 믿을 수 없느니라."

11-13

天有不測風雨하고 **人有朝夕禍福**이니라.
천 유 불 측 풍 우　　　　　인 유 조 석 화 복

"하늘에는 예측하지 못할 바람과 비가 있고, 사람에게는 아침저녁으로 재앙과 복록이 있느니라."

11-14

未歸三尺土하여는 **難保百年身**이요
미 귀 삼 척 토　　　　　난 보 백 년 신

已歸三尺土하여는 **難保百年墳**이니라.
이 귀 삼 척 토　　　　　난 보 백 년 분

"아직 석 자 흙 속으로 돌아가지 않고서는 백 년의 몸을 지키기 어렵고, 이미 석 자 흙 속으로 돌아가서는 백 년의 무덤을 지키기가 어려우니라."

〈11-12〉明朝 내일 아침. 薄暮 땅거미가 질 무렵의 저녁 때. 晡 신시 포(申時 : 오후 3~5시). 薄 엷을 박. 暮 저녁 모. 必 기필할 필(반드시 그렇게 될 것으로 믿음).
〈11-14〉未 아직 ~하지 아니하다. 歸 돌아갈 귀. 難 어려울 난. 墳 무덤 분.

11-15

景行錄云 木有所養^{이면}
경 행 록 운 목 유 소 양

則根本固而枝葉茂^{하여} 棟樑之材成^{하고}
즉 근 본 고 이 지 엽 무　　　동 량 지 재 성

水有所養^{이면} 則泉源壯而流派長^{하여}
수 유 소 양　　즉 천 원 장 이 유 파 장

灌漑之利博^{하고} 人有所養^{이면}
관 개 지 리 박　　인 유 소 양

則志氣大而識見明^{하여} 忠義之士出^{하니} 可不養哉^{아.}
즉 지 기 대 이 식 견 명　　충 의 지 사 출　　가 불 양 재

《경행록》에 이르기를, "나무가 길러지는 바 있으면 뿌리가 튼튼해지고 가지와 잎이 무성하여 마룻대와 들보 재목이 되고, 물이 길러지는 바 있으면 샘의 근원이 왕성해지고 물갈래가 길어져 물대는 이로움이 넓어지고, 사람이 길러지는 바 있으면 의지와 기개가 커지고 식견이 밝아져 충성스럽고 정의로운 선비가 나오나니, 길러야 하지 않겠는가?"

11-16

自信者人亦信之^{하여} 吳越皆兄弟^요
자 신 자 인 역 신 지　　오 월 개 형 제

自疑者人亦疑之^{하여} 身外皆敵國^{이니라.}
자 의 자 인 역 의 지　　신 외 개 적 국

〈11-15〉根 뿌리 근. 固 튼튼할 고. 茂 무성할 무. 棟 마룻대 동. 樑 (梁의 속자)들보 량. 마룻대 : 서까래를 걸치게 하는 나무. 源 근원 원. 壯 왕성할 장. 派 물갈래 파. 灌 물댈 관. 漑 물댈 개. 博 넓을 박. 哉 어조사(감탄형) 재.
〈11-16〉吳 오나라 오. 越 월나라 월. 疑 의심할 의.

스스로 믿는 사람은 남도 또한 믿어주어 오(吳), 월(越)이 다 형제이고, 스스로 의심하는 사람은 남도 또한 의심하여 자신 외에는 다 적국이니라.

11-17

疑人莫用하고 用人勿疑하라.
의 인 막 용   용 인 물 의

"사람이 의심나거든 쓰지 말고, 사람을 썼거든 의심하지 말라."

11-18

諷諫云 水底魚天邊雁은 高可射兮低可釣어니와
풍 간 운 수 저 어 천 변 안   고 가 사 혜 저 가 조

惟有人心咫尺間이라도 咫尺人心不可料니라.
유 유 인 심 지 척 간   지 척 인 심 불 가 료

《풍간》에 이르기를, "물 밑의 고기나 하늘가의 기러기는 하늘 높이 나는 것은 활 쏘아잡고 물밑에 떠다니는 것은 낚아 잡을 수 있거니와, 오직 사람 마음만은 지척 간이라도 지척 간의 사람 마음은 헤아릴 수 없느니라."

- 諷諫 : 사람을 풍자하여 간하는 내용인데 자세하지 않다.

〈11-18〉底 밑 저. 低 낮을 저. 邊 가 변. 雁 기러기 안. 釣 낚을 조. 兮 어조사 혜(주로 감탄 조사로 쓰인다). 咫 여덟치 지. 料 헤아릴 료.

11-19

畫虎畫皮難畫骨이요 知人知面不知心이니라.
화 호 화 피 난 화 골　　　지 인 지 면 부 지 심

"범을 그린다는 것은 겉가죽을 그리는 것이지 뼈를 그리기 어렵고, 사람을 안다는 것은 얼굴을 아는 것이지 마음을 알지 못하느니라."

11-20

對面共語하되 心隔千山이니라.
대 면 공 어　　　심 격 천 산

"얼굴을 마주하고 함께 이야기 하되, 마음의 간격은 천산이니라."

11-21

海枯終見底나 人死不知心이니라.
해 고 종 견 저　　　인 사 부 지 심

"바닷물은 마르면 마침내 바닥을 보이나, 사람은 죽어도 그 마음을 알지 못하느니라."

〈11-19〉畫 그림, 그릴 화. 皮 가죽 피. 骨 뼈 골.
〈11-20〉對 마주볼 대. 共 함께 공. 隔 간격, 사이 뜰 격.
〈11-21〉枯 마를 고. 底 밑 저. 終 마침내 종.

11-22

太公曰 凡人不可逆相이요 海水不可斗量이니라.

태 공 왈 범 인 불 가 역 상　　해 수 불 가 두 량

태공이 말하였다.

"무릇 사람은 미리 내다볼 수 없고, 바닷물은 말로 헤아릴 수 없느니라."

11-23

景行錄云 結怨於人을 謂之種禍요

경 행 록 운 결 원 어 인　　위 지 종 화

捨善不爲를 謂之自賊이니라.

사 선 불 위　　위 지 자 적

《경행록》에 이르기를, "남에게 원한 맺는 것은 재앙을 심는다고 말하고, 선을 버리고서 행하지 않는 것은 스스로를 해친다고 말하느니라."

11-24

若聽一面說이면 便見相離別이니라.

약 청 일 면 설　　변 견 상 리 별

"만약 한 쪽의 말만 듣는다면, 곧 서로 이별하는 것을 볼 것이니라."

〈11-22〉凡 무릇 범. 逆 미리 역. 相 상볼 상. 斗 말 두. 量 헤아릴 량. 不可 ~할 수 없다.
〈11-23〉怨 원망할 원. 謂 말할 위. 種 심을 종. 捨 버릴 사. 賊 해칠 적.
〈11-24〉聽 들을 청. 說 말씀 설. 便 문득, 곧 변. 離 떠날 리.

11-25

飽煖思淫慾하고 飢寒發道心이니라.
포 난 사 음 욕   기 한 발 도 심

"배부르고 따뜻하니 음욕을 생각하고, 굶주리고 추우니 도심을 일으키느니라."

11-26

疏廣曰 賢而多財則損其志하고
소 광 왈 현 이 다 재 즉 손 기 지

愚而多財則益其過니라.
우 이 다 재 즉 익 기 과

소광이 말하였다.

"뛰어나면서 재물이 많으면 그 뜻을 손상하고, 어리석으면서 재물이 많으면 그 허물을 더하느니라."

11-27

人貧智短하고 福至心靈이니라.
인 빈 지 단   복 지 심 령

"사람이 가난하면 지혜가 짧아지고, 복이 이르면 마음이 영험해지느니라."

〈11-25〉飽 배부를 포. 煖 따뜻할 난. 淫 음란할 음. 飢(=饑) 주릴 기.
〈11-26〉疏 성 소
〈11-27〉영험할 령. 至 이를지.

• 疏廣: 한(漢)나라 때 사람으로 자는 중옹(仲翁)이다.

11-28

不經一事면 不長一智니라.
불 경 일 사   불 장 일 지

"하나의 일을 경험하지 않으면 하나의 지혜도 자라지 않느니라."

11-29

是非終日有라도 不聽自然無니라.
시 비 종 일 유   불 청 자 연 무

"옳고 그름을 따짐이 종일토록 있더라도 듣지 않으면 자연히 없어지느니라."

11-30

來說是非者는 便是是非人이니라.
내 설 시 비 자   변 시 시 비 인

"찾아와서 옳고 그름을 말하는 사람은 곧 옳고 그름을 따지는 사람이니라."

〈11-28〉 經 겪을 경. 長 기를 장.
〈11-29〉 終日 하루를 마침. 是 옳을 시. 非 그를 비.
〈11-30〉 便 곧 변.

11-31

擊壤詩云 平生不作皺眉事하면 世上應無切齒人이라.
경 양 시 운 평 생 부 작 추 미 사　　世 상 응 무 절 치 인

大名豈有鐫頑石가. 路上行人口勝碑니라.
대 명 기 유 전 완 석　　노 상 행 인 구 승 비

《격양시》에 이르기를, "평생에 눈썹 찌푸릴 일을 행하지 않으면, 세상에 마땅히 이를 갈 사람이 없느니라. 큰 이름을 어찌 미련한 돌에 새길 것인가? 길가는 사람들의 입이 비석보다 나으니라."

11-32

有麝自然香이니 何必當風立고.
유 사 자 연 향　　하 필 당 풍 립

"사향이 있으면 자연히 향기로우니, 어찌 반드시 바람을 맞아 서리오?"

11-33

有福莫享盡하라 福盡身貧窮이요
유 복 막 향 진　　복 진 신 빈 궁

有勢莫使盡하라 勢盡冤相逢이니라.
유 세 막 사 진　　세 진 원 상 봉

〈11-31〉作 행할 작. 皺 찌푸릴 추. 眉 눈썹 미. 應 마땅히 응. 切 갈 절. 齒 이 치. 切齒 몹시 분하여 이를 갈다. 名 명성. 명예 명. 豈 어찌 기. 鐫 새길 전. 頑 어리석을 완. 勝 나을 승. 碑 비석 비.

〈11-32〉麝 사향노루 사. 何必 어찌 반드시. 當 맞을 당.

福兮常自惜하고 勢兮常自恭하라.
복 혜 상 자 석　　세 혜 상 자 공

人生驕與侈는 有始多無終이니라.
인 생 교 여 치　　유 시 다 무 종

"복이 있다고 누려 다하지 말라. 복이 다하면 몸이 빈궁해지고, 권세가 있다고 부려 다하지 말라. 권세가 다하면 원수와 상봉하게 되느니라. 복이란 언제나 스스로 아껴야 하고, 권세란 언제나 스스로 공손해야 하니라. 인생에 교만과 사치는 처음은 있으나 대부분 끝이 없느니라."

11-34

王參政四留銘曰 留有餘不盡之巧하여 以還造物하고
왕 참 정 사 류 명 왈　류 유 여 불 진 지 교　　이 환 조 물

留有餘不盡之祿하여 以還朝廷하고
류 유 여 불 진 지 록　　이 환 조 정

留有餘不盡之財하여 以還百姓하고
류 유 여 불 진 지 재　　이 환 백 성

留有餘不盡之福하여 以還子孫이니라.
류 유 여 불 진 지 복　　이 환 자 손

《왕참정 사류명》에 말하였다. "다 쓰지 아니한 재주를 여유 있게 남겨 조물주에게 되돌리고, 다 쓰지 아니한 봉록을 여유 있게 남겨 조정에 되돌리고, 다 쓰지 아니한 재물을 여유 있게 남겨 백성에게 되돌리고,

---

〈11-33〉享 누릴 향. 窮 궁할 궁. 使 부릴 사. 寃 원수 원. 逢 만날 봉. 惜 아낄 석. 恭 공손할 공. 驕 교만할 교. 侈 사치 치. 與 ~와 더불어.
〈11-34〉參 참여할 참. 留 남길 류. 餘 여유, 넉넉할 여. 銘 새길 명. 巧 재주 교. 還 되돌릴 환. 祿 봉록 록. 廷 조정 정.

다하지 아니한 복을 여유 있게 남겨 자손에게 돌려주어야 하느니라.”

- 王參政 : 이름은 단(旦)이고 자는 자명(子明)이며 시호는 문정(文正)이다.
  북송(北宋) 때의 명재상이고 졸한 후에 위국공(魏國公)에 추봉되었다.
- 四留銘 : 네 가지 남기고 싶은 말을 돌에 새김.

11-35

黃金千兩未爲貴요 得人一語勝千金이니라.
황금천냥미위귀　득인일어승천금

“황금 천 냥이 귀한 것이 되지 못하고, 사람을 얻는 한 마디 말이 천금
보다 나으니라.”

11-36

巧者拙之奴요 苦者樂之母니라.
교자졸지노　고자락지모

“재주 있는 사람은 재주 없는 사람의 노예이고, 괴로움은 즐거움의 어
머니니라.”

〈11-35〉 兩 양 량. 중량의 단위. 24수(銖).
〈11-36〉 者 것 자. 巧 재주 있을 교. 拙 재주 없을 졸. 奴 종 노. 苦 괴로울 고.

11-37

小船不堪重載요 深逕不宜獨行이니라.
소 선 불 감 중 재　　심 경 불 의 독 행

"작은 배는 무거운 짐을 견디지 못하고, 으슥한 길은 혼자 다니기 마땅치 않느니라."

11-38

黃金未是貴요 安樂値錢多니라.
황 금 미 시 귀　　안 락 치 전 다

"황금이 귀한 것이 아니고, 안락이 (황금보다) 값어치가 많으니라."

11-39

在家不會邀賓客이면 出外方知少主人이니라.
재 가 불 회 요 빈 객　　출 외 방 지 소 주 인

"집안에 있을 때 손님 맞을 줄 모르면, 밖에 나가서야 비로소 주인이 적은 줄 알게 되느니라."

〈11-37〉堪 견딜 감. 逕 좁은길 경. 宜 마땅할 의.
〈11-38〉値 값 치. 錢 돈 전.
〈11-39〉會 알, 깨달을 회. 邀 맞을 요. 賓 손 빈. 方 비로소 방.

11-40

貧居鬧市無相識이요 富住深山有遠親이니라.
빈 거 뇨 시 무 상 식　　　부 주 심 산 유 원 친

"가난하면 번잡한 저자에 살아도 서로 아는 사람이 없고, 부유하면 깊은 산속에 살아도 멀리까지 친한 사람이 있느니라."

11-41

人義盡從貧處斷이요 世情便向有錢家니라.
인 의 진 종 빈 처 단　　　세 정 변 향 유 전 가

"사람의 의리는 모두 가난한 곳을 따라 끊어지고, 세상의 인정은 문득 돈 있는 집을 향하느니라."

11-42

寧塞無底缸이언정 難塞鼻下橫이니라.
녕 색 무 저 항　　　난 색 비 하 횡

"차라리 밑 빠진 항아리를 막을지언정, 코 아래 가로 지른 입을 막기 어려우니라."

〈11-40〉居 살 거. 住 살 주. 鬧 시끄러울 뇨. 市 저자, 시내 시. 親 가까울 친.
〈11-41〉盡 모두 진. 從 따를 종. 便 문득 변. 向 향할 향.
〈11-42〉寧 차라리 녕. 塞 막을 색. 缸 항아리 항. 鼻 코 비. 橫 가로 횡.

11-43

人情은 皆爲窘中踈니라.
인 정　개 위 군 중 소

"인정은 모두 군색한 가운데 소원하게 되느니라."

11-44

史記曰 郊天禮廟는 非酒不享이요
사 기 왈 교 천 예 묘　비 주 불 향

君臣朋友는 非酒不義요 鬪爭相和는 非酒不勸이라.
군 신 붕 우　비 주 불 의　투 쟁 상 화　비 주 불 권

故로 酒有成敗而不可泛飮之니라.
고　주 유 성 패 이 불 가 봉 음 지

《사기》에 말하였다. "하늘에 제사 지내고 사당에 제례할 때 술이 아니면 흠향하지 못하고, 임금과 신하, 친구사이는 술이 아니면 정의(情義)를 두터이 못하고, 싸웠다가 서로 화해할 때 술이 아니면 권장하지 못하니라. 그러므로 술 속에 성패(成敗)가 있어 난잡하게 마실 수는 없느니라."

〈11-43〉 爲 될 위. 窘 군색할 군. 踈 소원할 소.
〈11-44〉 郊 하늘에 제사 지낼 교. 廟 사당 묘. 享 흠향할 향. 鬪 싸울 투. 爭 다툴 쟁. 勸 권할 권. 敗 패할 패. 泛 엎을, 난잡할 봉.

11-45

子曰 士志於道而恥惡衣惡食者는 未足與議也니라.
자 왈 사 지 어 도 이 치 악 의 악 식 자   미 족 여 의 야

공자께서 말씀하셨다. "선비가 도(道)에 뜻을 두고서 거친 옷과 거친
음식을 부끄러워하는 사람은 더불어 (도를) 의논하기에 부족하니라."

❖《논어(論語)》〈이인편(里仁篇)〉에 나오는 말이다.

11-46

荀子曰 士有妬友則賢交不親하고
순 자 왈 사 유 투 우 즉 현 교 불 친

君有妬臣則賢人不至니라.
군 유 투 신 즉 현 인 부 지

순자가 말하였다. "선비에게 질투하는 벗이 있으면 어진 친구가 가까
워지지 못하고, 임금에게 질투하는 신하가 있으면 어진 사람이 이르지
않느니라."

❖《순자(荀子)》〈大略〉에 나오는 말이다.

11-47

天不生無祿之人하고 地不長無名之草니라.
천 불 생 무 록 지 인   지 부 장 무 명 지 초

〈11-45〉志 뜻 둘 지. 恥 부끄러울 치. 惡 거칠 악. 足 만족할 족. 議 의논할 의.
〈11-46〉荀 성 순. 妬 투기할 투. 交 벗 교. 親 가까울 친.

178

"하늘은 봉록(俸祿) 없는 사람을 내지 않고, 땅은 이름 없는 풀을 기르지 않느니라."

11-48

大富由天하고 小富由勤이니라.
대 부 유 천   소 부 유 근

"큰 부자는 하늘에서 말미암고, 작은 부자는 부지런함에서 말미암느니라."

11-49

成家之兒는 惜糞如金하고
성 가 지 아   석 분 여 금

敗家之兒는 用金如糞이니라.
패 가 지 아   용 금 여 분

"집안을 이루는 아이는 똥을 돈과 같이 아끼고, 집안을 망치는 아이는 돈을 똥과 같이 쓰느니라."

11-50

康節邵先生曰
강 절 소 선 생 왈

〈11-47〉祿 봉록 록. 生 날 생. 長 기를 장.
〈11-49〉惜 아낄 석. 糞 똥 분.

閑居愼勿說無妨하라. 纔說無妨便有妨이니라.
한 거 신 물 설 무 방   재 설 무 방 변 유 방

爽口物多能作疾이요 快心事過必有殃이라.
상 구 물 다 능 작 질   쾌 심 사 과 필 유 앙

與其病後能服藥으론 不若病前能自防이니라.
여 기 병 후 능 복 약   불 약 병 전 능 자 방

강절 소선생이 말하였다.

"한가롭게 살 때 삼가 거리낌이 없다고 말하지 마라. 겨우 거리낌이 없
다고 말하는 순간 문득 거리낌이 있느니라. 입에 상큼한 물건이 많으
면 병을 만들 수 있고, 마음에 상쾌한 일이 지나치면 반드시 재앙이 있
느니라. 병난 뒤에 약을 복용하기보다는 병나기 전에 스스로 방비하는
것만 같지 못하니라."

11-51

梓潼帝君垂訓曰
재 동 제 군 수 훈 왈

妙藥難醫冤債病이요 橫財不富命窮人이라.
묘 약 난 의 원 채 병   횡 재 불 부 명 궁 인

虧心折盡平生福이요 幸短天敎一世貧이라.
휴 심 절 진 평 생 복   행 단 천 교 일 세 빈

生事事生君莫怨하고 害人人害汝休嗔하라.
생 사 사 생 군 막 원   해 인 인 해 여 휴 진

天地自然皆有報하니 遠在兒孫近在身이니라.
천 지 자 연 개 유 보   원 재 아 손 근 재 신

〈11-50〉愼 삼갈 신. 妨 거리낄 방. 纔 겨우 재. 便 문득 변. 爽 상쾌할 상. 過 지나칠 과.
　　　與其~不若(=不如) ~하는 것이 ~만 같지 못하다.

《재동제군수훈》에 말하였다. "묘약도 원한이 사무친 병을 고치기는 어렵고, 횡재도 운명이 궁핍한 사람을 부자로 만들지 않느니라. 마음을 잘못 쓰면 평생의 복을 깎아먹고, 행운이 모자라면 하늘이 일평생 가난하게 살게 하니라. 일을 내어 일이 생긴 것을 그대는 원망하지 말고, 남을 해쳐서 남이 해침을 그대는 성내지 말라. 천지자연은 모두 보답이 있으니, 멀리는 자손에게 있고, 가까이는 자신에게 있느니라."

- 梓潼帝君 : 도가(道家)의 인물이나 자세하지 않다.
- 冤債病 : 잘못을 저지른데 따른 업보(業報)로 생긴 병.

11-52

花落花開開又落하고 錦衣布衣更換着이라.
<small>화 락 화 개 개 우 락　　　금 의 포 의 경 환 착</small>

豪家未必常富貴요 貧家未必長寂寞이라.
<small>호 가 미 필 상 부 귀　　　빈 가 미 필 장 적 막</small>

扶人未必上青霄요 推人未必填溝壑이라.
<small>부 인 미 필 상 청 소　　　추 인 미 필 전 구 학</small>

勸君凡事莫怨天하라 天意於人無厚薄이니라.
<small>권 군 범 사 막 원 천　　　천 의 어 인 무 후 박</small>

"꽃이 지면 꽃이 피고 피면 또 지고, 비단옷과 무명옷을 번갈아 바꿔 입느니라. 큰 집도 반드시 항상 부귀한 것은 아니고, 가난한 집도 반드

〈11-51〉梓 가래나무 재. 潼 물 이름 동. 妙 묘할 묘. 醫 고칠 의. 冤 원통할 원. 債 빚 채. 橫 거스를 횡. 橫財 뜻하지 않게 얻은 재물. 富 부자 될 부. 窮 궁핍할 궁. 虧 어그러질 휴. 折 깎을 절. 幸 행운 행. 敎 하여금 교. 君 그대 군. 汝 너 여. 休(=莫) 금지사. 말 휴. 嗔 성낼 진. 報 갚을 보.

시 오래도록 적막하지 않느니라. 사람을 부축해도 반드시 푸른 하늘에 오르지는 못하고, 사람을 밀어도 반드시 구렁에 떨어지지 않느니라. 그대에게 권하노니, 모든 일에 하늘을 원망하지 말라. 하늘의 뜻은 사람에게 후하거나 박한 것이 없느니라."

11-53

堪歎人心毒似蛇라. 誰知天眼轉如車오.
감 탄 인 심 독 사 사　　　수 지 천 안 전 여 거

去年妄取東隣物터니 今日還歸北舍家라.
거 년 망 취 동 린 물　　　금 일 환 귀 북 사 가

無義錢財湯潑雪이요 儻來田地水推沙라.
무 의 전 재 탕 발 설　　　당 래 전 지 수 추 사

若將狡譎爲生計면 恰似朝開暮落花니라.
약 장 교 휼 위 생 계　　　흡 사 조 개 모 락 화

"사람의 마음 독한 것이 뱀과 같음을 한탄할 만하니라. 하늘의 눈 굴러가는 것이 수레바퀴와 같음을 누가 알리오? 지난해에 동쪽 이웃의 물건을 함부로 탈취하더니, 오늘은 북쪽 집으로 다시 돌아가느니라. 의롭지 못한 돈과 재물은 끓는 물에 눈을 뿌리는 것이고, 뜻하지 않게

〈11-52〉 錦 비단 금. 開 (꽃이)필 개. 布 무명베 포. 更 번갈아 경. 換 바꿀 환. 着 입을 착. 未必 (부분 부정)반드시 ~한 것은 아니다. 長 오랠 장. 寂 고요할 적. 寞 쓸쓸할 막. 扶 붙들 부. 上 오를 상. 霄 하늘 소. 推 밀 추. 塡 떨어질 전. 溝 도랑 구. 壑 구렁 학. 溝壑 구덩이.

〈11-53〉 堪 견딜 감. 似 같을 사. 蛇 뱀 사. 轉 구를 전. 隣 이웃 린. 舍 집 사. 湯 끓을 탕. 潑 뿌릴 발. 儻 갑자기 당. 儻來 예상하지 않는데 우연히 옴. 將 가질 장. 狡 교활할 교. 譎 속일 휼. 爲 삼을 위. 恰 마치 흡.

182

들어온 논밭은 물이 모래를 쓸어내는 것이니라. 만약 교활한 속임수를 가지고 삶의 계책을 삼는다면, 마치 아침에 피었다가 저녁에 지는 꽃과 같으니라."

11-54

無藥可醫卿相壽나 有錢難買子孫賢이니라.
무 약 가 의 경 상 수   유 전 난 매 자 손 현

"약 없어도 경상의 수명을 고칠 수는 있으나, 돈 있어도 자손의 현명함을 사기는 어려우니라."

11-55

一日淸閑이면 一日仙이니라.
일 일 청 한   일 일 선

"하루 동안 맑고 한가하면 하루 동안 신선이니라."

〈11-54〉醫 고칠 의. 卿 벼슬 경. 相 정승 상. 壽 목숨 수. 買 살 매
〈11-55〉淸閑 맑고 한가함. 仙 신선 선.

省心篇 下(성심편 하)

더불어 사는 세상

12-01-1

眞宗皇帝御製曰 知危識險이면 終無羅網之門이요
진 종 황 제 어 제 왈 지 위 식 험　　　　종 무 라 망 지 문

舉善薦賢이면 自有安身之路라.
거 선 천 현　　　　자 유 안 신 지 로

施仁布德이면 乃世代之榮昌이요
시 인 포 덕　　　　내 세 대 지 영 창

懷妬報冤이면 與子孫之危患이라.
회 투 보 원　　　　여 자 손 지 위 환

《진종황제 어제》에 말하였다. "위험을 알고 험난함을 알면 마침내 그
물의 문에 걸림이 없을 것이고, 선한 사람을 추천하고 훌륭한 사람을
천거하면 저절로 몸을 편안히 할 길이 있느니라. 인(仁)을 베풀고 덕(

〈12-01-1〉御 임금 어. 製 지을 제. 危 위태로울 위. 險 험할 험. 布 베풀 포. 終 마침내
종. 羅 그물에 걸릴 라. 網 그물 망. 薦 천거할 천. 懷 품을 회. 冤 원통할 원.
與 줄 여.

德)을 펼치면 이에 세대(世代)가 영화롭게 창성할 것이고, 질투를 품고
원한을 갚으면 자손에게 위태로움과 우환을 주는 것이니라.”

• 眞宗皇帝(968~1022) : 북송(北宋)의 제3대 황제이다.
• 御製 : 제왕이 스스로 지은 글.

12-01-2

損人利己면 終無顯達雲仍이요
손 인 리 기　　종 무 현 달 운 잉

害衆成家면 豈有長久富貴리오.
해 중 성 가　　기 유 장 구 부 귀

改名異體는 皆因巧語而生이요
개 명 이 체　　개 인 교 어 이 생

禍起傷身은 皆是不仁之召니라.
화 기 상 신　　개 시 불 인 지 소

“남을 해치고 자기를 이롭게 하면 마침내 현달하는 자손이 없을 것이
고, 뭇사람을 해치고 집안을 이루면 어찌 오래도록 부귀가 있겠는가?
이름을 고치고 형체를 달리하는 것은 모두 교묘한 말 때문에 생겨나
고, 재앙이 일어나고 몸을 다치는 것은 모두 어질지 못함이 불러내는
것이니라.”

〈12-01-2〉顯達 벼슬이나 덕망이 높아서 이름을 세상에 드날림. 仍 거듭 잉. 雲仍 운손(雲
孫)과 잉손(仍孫)이라는 뜻으로 대수(代數)가 먼 자손을 이르는 말. 豈 어찌 기.
異 다를 이. 因 인할 인. 巧 교묘할 교. 召 부를 소

12-02-1

神宗皇帝御製曰 遠非道之財하고 戒過度之酒하며
신 종 황 제 어 제 왈 원 비 도 지 재   계 과 도 지 주

居必擇隣하고 交必擇友하며
거 필 택 린   교 필 택 우

嫉妬勿起於心하고 讒言勿宣於口하며
질 투 물 기 어 심   참 언 물 선 어 구

骨肉貧者莫疎하고 他人富者莫厚하라.
골 육 빈 자 막 소   타 인 부 자 막 후

《신종황제 어제》에 말하였다. "도(道)가 아닌 재물을 멀리 하고 도(度)
가 지나친 술을 경계하며, 주거에 반드시 이웃을 가리고 사귐에 반드
시 벗을 가려야 하며, 질투는 마음에 일으키지 말고 참언은 입에 펴지
말며, 동기간에 가난한 자는 소홀히 하지 말고 다른 사람에 부유한 자
는 후대하지 말라."

• 神宗皇帝(1048~1085) : 북송(北宋)의 제6대 황제이다.

12-02-2

克己는 以勤儉爲先하고 愛衆은 以謙和爲首하며
극 기   이 근 검 위 선   애 중   이 겸 화 위 수

常思已往之非하고 每念未來之咎하라.
상 사 이 왕 지 비   매 념 미 래 지 구

若依朕之斯言이면 治家國而可久니라.
약 의 짐 지 사 언   치 가 국 이 가 구

〈12-02-1〉遠 멀리할 원. 度 법도 도. 擇 가릴 택. 讒 참소할 참. 宣 베풀 선. 讒言 거짓
꾸며서 남을 헐뜯는 말. 骨肉 골육지친(骨肉之親)의 준말. 부모와 자식 또는 형
제자매 등의 가까운 혈족. 疎 소원할 소.

186

"자기를 극복함은 근면과 검소를 최우선으로 삼고 뭇사람을 사랑함은 겸손과 화목을 첫번째로 삼으며, 항상 지나간 잘못을 생각하고, 언제나 미래의 허물을 염려하라. 만약 짐(朕)의 이 말에 의거한다면 집안과 나라를 잘 다스려 오래갈 수 있느니라."

12-03

高宗皇帝御製曰
고 종 황 제 어 제 왈

一星之火라도 能燒萬頃之薪하고
일 성 지 화   능 소 만 경 지 신

半句非言이라도 誤損平生之德이라.
반 구 비 언   오 손 평 생 지 덕

身被一縷라도 常思織女之勞하고
신 피 일 루   상 사 직 녀 지 로

日食三飧이라도 每念農夫之苦하라.
일 식 삼 손   매 념 농 부 지 고

苟貪妬損이면 終無十載安康이요.
구 탐 투 손   종 무 십 재 안 강

積善存仁이면 必有榮華後裔니라.
적 선 존 인   필 유 영 화 후 예

福緣善慶은 多因積行而生이요
복 연 선 경   다 인 적 행 이 생

入聖超凡은 盡是眞實而得이니라.
인 성 초 범   진 시 진 실 이 득

〈12-02-2〉咎 허물 구. 依 의지할 의. 朕 나 짐(천자의 자칭. 제후의 자칭은 寡人). 斯 이 사.
〈12-03〉燒 불태울 소. 頃 이랑 경. 薪 섶 신. 誤 그릇될 오. 縷 실오라기 루. 織 짤 직. 飧 저녁밥 손. 苟 구차할 구. 載 해 재. 存 지닐 존. 裔 후손 예. 緣 인연 연. 超 뛰어넘을 초. 凡 범상할 범. 盡 모두 진

《고종황제 어제》에 말하였다. "한 별만큼의 불이라도 만 경의 나무를 불태울 수 있고, 반 마디의 그릇된 말이라도 평생의 덕을 그르쳐 훼손하느니라. 몸에 한 올의 실을 걸쳐도 항상 베 짜는 여인의 수고를 생각하고, 하루에 세끼 밥을 먹어도 매번 농부의 노고를 생각하라. 구차하게 탐하고 시기하여 다치게 하면 마침내 십년 동안 편안치 않을 것이고, 선(善)을 쌓고 인(仁)을 보존하면 반드시 영화로운 후예를 둘 것이니라. 복된 인연과 좋은 경사는 대부분 선행을 쌓기 때문에 생겨나고, 성인(聖人)의 경지에 들거나 평범(平凡)을 초월함은 모두 진실하여 얻어지는 것이니라."

• 高宗皇帝(1107~1187) : 남송(南宋)의 초대 황제이다.

12-04

王良曰 欲知其君인대 先視其臣하고
왕 량 왈 욕 지 기 군   선 시 기 신

欲知其人인대 先視其友하고
욕 지 기 인   선 시 기 우

欲知其父인대 先視其子하라.
욕 지 기 부   선 시 기 자

君聖臣忠하고 父慈子孝니라.
군 성 신 충   부 자 자 효

왕량이 말하였다.

"그 임금을 알고자 할진대 먼저 그 신하를 보고, 그 사람을 알고자 할

〈12-04〉遠欲 하고자할 욕. 慈 사랑할 자.

188

진대 먼저 그 친구를 보고, 그 부모를 알고자 할진대 먼저 그 자식을
보라. 임금이 훌륭하면 신하가 충성하고, 부모가 자애로우면 자식이
효도하느니라."

• 王良 : 춘추(춘추)시대 진(晉)나라 사람이다.

12-05

家語云 水至淸則無魚하고 人至察則無徒니라.
가 어 운 수 지 청 즉 무 어   인 지 찰 즉 무 도

《가어》에 이르기를, "물이 너무 맑으면 고기가 없고, 사람이 너무 살피
면 친구가 없느니라."

• 家語 : 《공자가어(孔子家語)》를 말하며, 공자의 언행과 세상에 드러
   나지 않은 사실들을 모은 책으로 현재 전하는 것은 10권인데, 위(
   魏)나라 왕숙(王肅)이 지은 위작이라 함.

12-06

許敬宗曰 春雨如膏나 行人惡其泥濘하고
허 경 종 왈 춘 우 여 고   행 인 오 기 니 녕

秋月揚輝나 盜者憎其照鑑이니라.
추 월 양 휘   도 자 증 기 조 감

〈12-05〉至 지극할 지. 徒 무리, 친구 도.
〈12-06〉膏 기름 고. 惡 싫어할 오. 泥 진흙 니. 濘 진흙 녕. 揚 날릴 양. 輝 빛날 휘. 憎
   미워할 증. 照 비출 조. 鑑 살필 감.

허경종이 말하였다.

"봄비가 기름진 것 같지만 길가는 사람은 그 진창을 싫어하고, 가을달이 빛을 드날리지만 도둑은 그 비추어 살피는 것을 미워하느니라."

- 許敬宗 : 당(唐)나라 때의 정치가로 자는 연족(延族)이다.

12-07

景行錄云 大丈夫는 見善明故로 重名節於泰山하고
경 행 록 운 대 장 부　　견 선 명 고　　중 명 절 어 태 산

用心精故로 輕死生於鴻毛니라.
용 심 정 고　　경 사 생 어 홍 모

《경행록》에 이르기를, "대장부는 선(善)을 보는 것이 밝은 까닭으로 명예(名譽)와 절개(節槪)가 태산보다 중요하고, 마음 쓰는 것이 정밀한 까닭으로 죽고 사는 것이 기러기 털보다 가벼우니라."

12-08

悶人之凶하고 樂人之善하며 濟人之急하고 救人之危니라.
민 인 지 흉　　락 인 지 선　　　제 인 지 급　　　구 인 지 위

"남의 흉을 민망해 하고 남의 선을 즐거워하며, 남의 다급을 구제하고 남의 위험을 구원할지니라."

〈12-07〉重 중하게 여길 중. 泰 클 태. 輕 가볍게 여길 경. 鴻 기러기 홍. 鴻毛 (기러기의 털이란 뜻으로) 매우 가벼운 사물을 비유하여 이르는 말.
〈12-08〉悶 민망할 민. 凶 흉할 흉. 濟 건질 제. 救 구원할 구.

12-09

經目之事도 猶恐未眞이어늘 背後之言을 豈足深信이리오.
경목지사 유공미진   배후지언   기족심신

"눈으로 경험한 일도 오히려 참되지 않을까 두렵거늘, 등 뒤의 말을 어찌 깊이 믿을 수 있으리오?"

12-10

不恨自家汲繩短하고 只恨他家苦井深하니라.
불한자가급승단   지한타가고정심

"자기 집 두레박 끈이 짧은 것을 탓하지 않고, 다만 남의 집 마른 우물이 깊은 것만 탓하느니라."

12-11

贓濫滿天下어늘 罪拘薄福人이니라.
장람만천하   죄구박복인

"부정한 물건이 온 천하에 넘쳐나거늘 죄는 박복한 사람에게 걸리느니라."

〈12-09〉 經 지날 경. 恐 두려울 공. 豈 어찌 기. 深 깊을 심.
〈12-10〉 汲 물길을 급. 繩 노끈 승. 只 다만 지. 恨 한탄할 한. 汲繩 두레박 끈. 苦井 물이 말라서 깊어진 우물.
〈12-11〉 贓 장물 장. 濫 넘칠 람. 滿天下 온 천하. 罪 허물 죄. 拘 걸릴 구. 薄 얇을 박.

191

12-12

天若改常이면 不風則雨요 人若改常이면 不病則死니라.
천 약 개 상　　　불 풍 즉 우　　　인 약 개 상　　　불 병 즉 사

"하늘이 만약 불변의 법칙을 바꾸면 바람 불지 않으면 비가 오고, 사람이 만약 떳떳한 도리를 바꾸면 병들지 않으면 죽느니라."

12-13

壯元詩云 國正天心順이요 官淸民自安이라.
장 원 시 운 국 정 천 심 순　　　관 청 민 자 안

妻賢夫禍少요 子孝父心寬이니라.
처 현 부 화 소　　　자 효 부 심 관

〈장원시〉에 이르기를, "나라가 공정(公正)하면 하늘이 순응(順應)하고, 벼슬아치가 청렴(淸廉)하면 백성이 저절로 편안하니라. 아내가 어질면 남편의 재앙이 적고, 자식이 효성스러우면 부모의 마음이 너그러우니라."

• 〈壯元詩〉: 조선시대 과거에서 갑과에 첫째로 급제한 시를 말함.

12-14

子曰 木從繩則直하고 人受諫則聖하니라.
자 왈 목 종 승 즉 직　　　인 수 간 즉 성

〈12-13〉 壯 장할, 훌륭할 장. 順 좇을 순. 官 벼슬 관. 淸 청렴할 청. 寬 너그러울 관.
〈12-14〉 繩 먹줄 승. 諫 간할 간.

공자께서 말씀하셨다. "나무가 먹줄을 따르면 곧아지고, 사람이 간언을 받아들이면 성스러워지느니라."

12-15

一派靑山景色幽러니 前人田土後人收라.
일 파 청 산 경 색 유　　　전 인 전 토 후 인 수

後人收得莫歡喜하라. 更有收人在後頭니라.
후 인 수 득 막 환 희　　　갱 유 수 인 재 후 두

"한 줄기 푸른 산 풍치가 그윽하더니 앞사람의 밭을 뒷사람이 거두는구나. 뒷사람은 거두어 얻음을 기뻐하지 말라. 다시 거둘 사람이 있으니, 뒤통수에 존재하느니라."

12-16

蘇東坡曰 無故而得千金이면
소 동 파 왈 무 고 이 득 천 금

不有大福이요 必有大禍니라.
불 유 대 복　　　필 유 대 화

소동파가 말하였다. "까닭 없이 천금을 얻으면 큰 복이 있는 것이 아니고, 반드시 큰 재앙이 있느니라."

• 蘇東坡(1036~1101) : 북송(北宋) 때의 문인으로, 이름은 식(軾)이고 호는

─────────────────────────

〈12-15〉派 줄기 파. 景 풍경 경. 景色 경치(景致. 幽 그윽할 유. 歡 기쁠 환. 更 다시 갱.
　　後頭 뒤통수
〈12-16〉蘇 성 소. 坡 언덕 파. 故 까닭 고.

동파(東坡)이며, 당송(唐宋) 팔대가(八大家)의 한 사람이다.

12-17

康節邵先生曰 有人來問卜히되 如何是禍福고 하여
강절소선생왈 유인내문복   여하시화복

我虧人是禍요 人虧我是福이라호라.
아 휴 인 시 화   인 휴 아 시 복

강절 소선생이 말하였다.

"어떤 사람이 와서 점을 묻되, '무엇이 화복(禍福)이오?' 하여, '내가 남을 해치는 것이 화(禍)이고, 남이 나를 해치는 것이 복(福)이라.' 하였느니라."

12-18

大廈千間이라도 夜臥八尺이요
대 하 천 간   야 와 팔 척

良田萬頃이라도 日食二升이니라.
양 전 만 경   일 식 이 승

"큰 집이 천 칸이라도 밤에 눕는 것은 여덟 자이고, 좋은 밭이 만 경이라도 하루에 먹는 것은 두 되니라."

〈12-17〉 節 마디 절. 如何 무엇인가? 어찌 하는가?. 有 어떤 유. 卜 점칠 복. 虧 이그러질 휴. 是 ~이다.
〈12-18〉 廈 큰집 하. 臥 누울 와. 頃 이랑 경. 良 좋을 량. 升 되 승. 頃 밭 넓이의 단위로 백무(百畝)를 가리킴. 畝 육척사방(六尺四方)을 일보(一步)라 하고, 백보(百步)를 일무(一畝)라 함. 진(秦)나라 이후에는 240보임.

194

12-19

久住令人賤이요 頻來親也疎라.
구 주 영 인 천　　　빈 래 친 야 소

但看三五日이라도 相見不如初니라.
단 간 삼 오 일　　　　상 견 불 여 초

"오래 머물면 훌륭한 사람도 천해지고, 자주 오면 친분도 소원해지느
니라. 단지 삼일이나 오일만 보아도 서로 바라보는 것이 처음만 같지
못하니라."

12-20

渴時一滴如甘露요 醉後添盃不如無니라.
갈 시 일 적 여 감 로　　취 후 첨 배 불 여 무

"목마를 때 한 방울 물은 감로(甘露)와 같고, 술 취한 뒤에 더하는 잔은
없는 것만 못하니라."

12-21

酒不醉人人自醉요 色不迷人人自迷니라.
주 불 취 인 인 자 취　　색 불 미 인 인 자 미

"술이 사람을 취하게 하는 것이 아니라 사람이 스스로 취하고, 이성(

〈12-19〉 住 머물 주. 슈人 훌륭한 사람. 좋은 사람. 頻 자주 빈. 也 또한 야. 看 볼 간.
〈12-20〉 渴 목마를 갈. 滴 물방울 적. 露 이슬 로. 添 더할 첨. 盃 잔 배.
〈12-21〉 色 이성(異性) 색. 迷 미혹할 미.

色)이 사람을 미혹하는 것이 아니라 사람이 스스로 미혹되느니라."

12-22

公心若比私心이면 何事不辦이며
공 심 약 비 사 심   하 사 불 판

道念若同情念이면 成佛多時니라.
도 념 약 동 정 념   성 불 다 시

"공변된 마음이 만약 사적인 마음과 같다면, 무슨 일인들 다스리지 못할 것이며, 도(道)적인 생각이 만약 정(情)적인 생각과 같다면 성불(成佛)한지 오래되었을 것이니라."

12-23

濂溪先生曰
염 계 선 생 왈

巧者言하고 拙者默하며 巧者勞하고 拙者逸하며
교 자 언   졸 자 묵   교 자 노   졸 자 일

巧者賊하고 拙者德하며 巧者凶하고 拙者吉하나니
교 자 적   졸 자 덕   교 자 흉   졸 자 길

嗚呼라. 天下拙이면 刑政撤하여
오 호   천 하 졸   형 정 철

上安下順하며 風淸弊絕하리라.
상 안 하 순   풍 청 폐 절

〈12-22〉比 같을 비. 辦 다스릴 판. 道念 도덕을 지키려는 마음씨. 情念 온갖 감정에 따라 일어나는 억누르기 어려운 생각. 成佛 모든 번뇌에서 해탈하여 부처가 됨.

염계선생이 말하였다.

"잘난 사람은 말하고 못난 사람은 침묵하며, 잘난 사람은 수고롭고 못난 사람은 편안하며, 잘난 사람은 해를 끼치고 못난 사람은 덕스러우며, 잘난 사람은 흉하고 못난 사람은 길하니라. 아아! 천하가 못나면 형벌과 정사가 거두어져, 위로는 편안하고 아래로는 온순하며 풍속이 맑아지고 폐단이 없어지리라."

• 濂溪先生(1017~1073) : 程子의 스승. 북송(北宋)의 유학자 주돈이(周敦頤)로, 자는 무숙(茂叔)이며 염계는 그의 호이다. 송학(宋學)의 시조로 불리어지며,《태극도설(太極圖說)》과《통서(通書)》를 저술하였다.

12-24

易曰 德微而位尊하고 智小而謀大며
역 왈 덕 미 이 위 존   지 소 이 모 대

力小而任重하면 鮮不及禍矣니라.
력 소 이 임 중   선 불 급 화 의

《주역》에 말하였다. "덕이 작으면서 지위가 높고 지혜가 작으면서 계책이 크며, 힘이 작으면서 임무가 무거우면 재앙이 미치지 않을 자가 드무니라."

• 《周易》: 삼경(三經)의 하나로 역경(易經)이라고도 하며 우주의 원리와 인

〈12-23〉濂 물가 렴. 溪 시내 계. 巧 공교할 교. 拙 못날 졸. 黙 묵묵할 묵. 逸 편안할 일. 賊 그르칠 적. 嗚 탄식소리 오. 呼 부를 호. 嗚呼 감탄사 탄식하는 소리. 刑 형벌 형. 刑政 형벌에 관한 행정. 撤 거둘 철. 弊 폐단 폐. 絶 없어질 절.
〈12-24〉鮮 드물 선.

간의 길흉화복을 기록한 책으로, 문왕(文王), 주공(周公), 공자(孔子)에 의
해 완성되었다 한다.

12-25

說苑曰 官怠於宦成하고 病加於小愈하며
설 원 왈 관 태 어 환 성   병 가 어 소 유

禍生於懈惰하고 孝衰於妻子니
화 생 어 해 타   효 쇠 어 처 자

察此四者하여 愼終如始니라.
찰 차 사 자   신 종 여 시

《설원》에 말하였다. "관리는 벼슬을 성취한 데서 게을러지고 병은 조
금 나아지는 데서 더해지며, 재앙은 나태한 데서 생겨나고 효는 처자
에게서 쇠해지니, 이 네 가지를 살펴서 끝을 삼감이 처음과 같아야 하
느니라."

- 《說苑》: 한(漢)나라 유향(劉向)이 지은 책으로 명인들의 일화(逸話)를 수
  록하였다.

12-26

器滿則溢하고 人滿則喪이니라.
기 만 즉 일   인 만 즉 상

〈12-25〉官 벼슬 관. 宦 벼슬 환. 怠 게으를 태. 加 더할 가. 愈 병 나을 유. 懈 게으를 해.
惰 게으를 타. 愼 삼갈 신.

"그릇은 가득 차면 넘치고, 사람은 가득 차면 잃느니라."

12-27

尺璧非寶요 寸陰是競이니라.
척 벽 비 보   촌 음 시 경

"한 자의 옥구슬이 보배가 아니고, 짧은 시간을 다투어야 하느니라."

12-28

羊羹雖美나 衆口難調니라.
양 갱 수 미   중 구 난 조

"양고기 국이 비록 맛있으나, 여러 사람의 입 맞추기가 어려우니라."

12-29

益智書云 白玉投於泥塗라도 不能汚穢其色이요
익 지 서 운 백 옥 투 어 니 도   불 능 오 예 기 색

君子行於濁地라도 不能染亂其心하나니 故로
군 자 행 어 탁 지   불 능 염 란 기 심   고

松栢可以耐雪霜이요 明智可以涉危難이니라.
송 백 가 이 내 설 상   명 지 가 이 섭 위 난

〈12-26〉溢 넘칠 일. 喪 잃을 상.
〈12-27〉尺 자 척(길이의 단위, 10寸). 璧 둥근옥 벽. 競 다툴 경. 寸陰 한 치의 시간. 일척(一尺)의 10분의 1.
〈12-28〉羹 국 갱. 雖 비록 수. 美 맛좋을 미. 調 맞출 조

《익지서》에 이르기를, "백옥은 진흙에 던져도 능히 그 빛을 더럽히지 못하고, 군자는 혼탁(混濁)한 곳에 가더라도 능히 그 마음을 물들여 어지럽히지 못하나라. 그러므로 소나무와 잣나무는 눈과 서리를 견뎌낼 수 있고, 현명하고 지혜로운 자는 위태로움과 어려움을 건너갈 수 있느니라."

12-30

入山擒虎易어니와 開口告人難이니라.
입 산 금 호 이   개 구 고 인 난

"산에 들어가 호랑이를 사로잡기는 쉽거니와, 입을 열어 남에게 충고(忠告)하기는 어려우니라."

12-31

遠水不救近火요 遠親不如近隣이니라.
원 수 불 구 근 화   원 친 불 여 근 린

"먼 곳의 물은 가까운 불을 끄지 못하고, 먼 곳의 친척은 가까운 이웃만 같지 못하니라."

〈12-29〉 投 던질 투. 泥 진흙 니. 塗 바를 도. 汚 더러울 오. 穢 더러울 예. 濁 흐릴 탁. 染 물들 염. 亂 어지러울 란. 栢(柏의 俗字) 잣나무(韓) 측백나무 백. 耐 견딜 내. 涉 건널 섭. 難 어려울 난.
〈12-30〉 入 들어갈 입. 擒 사로잡을 금. 告 충고할 고.
〈12-31〉 救 불 끌 구. 遠 멀 원. 不如 ~만 같지 못하다. 隣 이웃 린.

12-32

太公曰 日月雖明이나 不照覆盆之下하고
태 공 왈 일 월 수 명   부 조 복 분 지 하

刀刃雖快나 不斬無罪之人하고
도 인 수 쾌   불 참 무 죄 지 인

非災橫禍라도 不入愼家之門이니라.
비 재 횡 화   불 입 진 가 지 문

태공이 말하였다.

"해와 달이 비록 밝으나 엎어진 동이 밑을 비추지 못하고, 칼날이 비록 잘 들어도 죄 없는 사람을 베지 못하고, 빗나간 재난(災難)은 뜻밖의 재앙(災殃)이라도 삼가는 집의 문안을 들어가지 못하느니라."

12-33

太公曰 良田萬頃이 不如薄藝隨身이니라.
태 공 왈 양 전 만 경   불 여 박 예 수 신

태공이 말하였다.

"좋은 밭 만 경이 얇은 재주가 몸을 따르는 것만 못하느니라."

12-34

性理書云
성 리 서 운

〈12-32〉照 비칠 조. 覆 엎을 복. 盆 동이 분. 刃 칼날 인. 斬 벨 참. 災 재앙 재. 橫 거스를. 어긋날 횡(常理에 어그러짐. 생각지 못함.)

〈12-33〉頃 이랑, 백이랑 경(밭 百畝). 良 좋을 량. 薄 얇을 박. 藝 재주 예. 隨 따를 수.

接物之要는 己所不欲을 勿施於人하고
접물지요　기소불욕　물시어인

行有不得이어든 反求諸己니라.
행유부득　　　반구제기

《성리서》에 이르기를, "사물을 접하는 요체(要諦)는 자기가 하고 싶지 않은
것을 남에게 베풀지 말고, 행하고도 얻지 못한 것이 있거든 돌이켜 자기에게
서 찾는 것이니라."

12-35

酒色財氣四堵墻에 多少賢愚在內廂이라.
주색재기사도장　다소현우재내상

若有世人跳得出이면 便是神仙不死方이니라.
약유세인도득출　　　변시신선불사방

"술과 색과 재물과 기운의 네 담장에 상당수의 뛰어난 사람과 어리석은 사람
이 안쪽 행랑에 있느니라. 만약 세상사람 중에 뛰어 벗어남이 있다면, 바로
신선으로서 죽지 않는 방법이니라."

〈12-34〉接 접할 접. 物 일, 사물 물. 要 종요로울 요. 反 돌이킬 반. 諸(=之於) 어조사 제(
本音 저. 이것을 ~에).
〈12-35〉堵 담 도. 墻 담 장. 多少 상당히. 廂 행랑 상. 跳 뛸 도. 便是 바로 ~이다. 方 방
법 방.

立教篇(입교편)

교육은 근본을 바로 세운다.

13-01

子曰 立身有義하니 而孝爲本이요
자왈 입신유의   이효위본

喪紀有禮하니 而哀爲本이요
상기유례   이애위본

戰陣有列하니 而勇爲本이요
전진유렬   이용위본

治政有理하니 而農爲本이요
치정유리   이농위본

居國有道하니 而嗣爲本이요
거국유도   이사위본

生財有時하니 而力爲本이니라.
생재유시   이역위본

〈13-01〉喪紀 초상을 치르는 절차. 喪 초상 상. 紀 실마리 기. 哀 슬플 애. 戰 싸울 전. 陣
진칠 진. 勇 용맹 용. 政 정사 정. 農 농사 농. 居 유지할 거. 嗣 이을 사.

공자께서 말씀하셨다.

"몸을 세우는 데에 의(義)가 있으니 효(孝)가 근본이 되고, 상(喪)을 치르는 절차에 예(禮)가 있으니 슬픔이 근본이 되고, 전투진법(戰鬪陣法)에 열(列)이 있으니 용맹이 근본이 되고, 정치에 이치(理致)가 있으니 농사가 근본이 되고, 나라를 유지함에 도(道)가 있으니 후사(後嗣)가 근본이 되고, 재물을 생산함에 때가 있으니 힘이 근본이 되느니라."

13-02

景行錄云 爲政之要는 曰公與淸이요
경 행 록 운 위 정 지 요   왈 공 여 청

成家之道는 曰儉與勤이니라.
성 가 지 도   왈 검 여 근

《경행록》에 이르기를, "나라를 다스리는 요체(要諦)는 공평함과 청렴함이요, 집안을 세우는 도리는 검소함과 근면함이니라."

13-03

讀書起家之本이요 循理保家之本이요
독 서 기 가 지 본   순 리 보 가 지 본

勤儉治家之本이요 和順齊家之本이니라.
근 검 치 가 지 본   화 순 제 가 지 본

〈13-02〉 爲 할. 淸 청렴할 청. 勤 부지런할 근.
〈13-03〉 循 좇을 순. 齊 가지런할 제.

"글을 읽는 것은 집안을 일으키는 근본이요, 이치를 따르는 것은 집안을 보존하는 근본이요, 부지런하고 검소한 것은 집안을 다스리는 근본이요, 화목하고 순종하는 것은 집안을 가지런하게 하는 근본이니라."

13-04

孔子三計圖云 一生之計在於幼하고
공자 삼 계 도 운 일 생 지 계 재 어 유

一年之計在於春하고 一日之計在於寅하니
일 년 지 계 재 어 춘 일 일 지 계 재 어 인

幼而不學이면 老無所知요
유 이 불 학 로 무 소 지

春若不耕이면 秋無所望이요
춘 약 불 경 추 무 소 망

寅若不起면 日無所辦이니라.
인 약 불 기 일 무 소 판

《공자 삼계도》에 이르기를, "일생의 계획은 어릴 때에 달려있고 일 년의 계획은 봄에 달려있고 하루의 계획은 새벽에 달려있으니, 어려서 배우지 않으면 늙어서 아는 바가 없고, 봄에 만약 밭 갈지 않으면 가을에 바랄 바가 없고, 새벽에 만약 일어나지 않으면 하루에 힘쓸 바가 없느니라."

〈13-04〉 幼 어릴 유. 寅 인시 인(새벽4시경. 耕 밭갈 경. 辦 힘쓸. 처리할 판.

13-05

性理書云 五敎之目은 父子有親이며
성리서운 오교지목   부자유친

君臣有義며 夫婦有別이며 長幼有序며 朋友有信이니라.
군신유의   부부유별   장유유서   붕우유신

《성리서》에 이르기를, "다섯 가지 가르침의 조목은 부모와 자식 사이에 친함이 있어야 하며, 임금과 신하 사이에 의리가 있어야 하며, 남편과 아내 사이에 분별이 있어야 하며, 어른과 아이 사이에 차례가 있어야 하며, 친구 사이에 믿음이 있어야 하느니라."

13-06

三綱은 君爲臣綱이요 父爲子綱이요 夫爲婦綱이니라.
삼강   군위신강   부위자강   부위부강

"세 가지 강령은 임금은 신하의 벼리(근본)가 되고, 부모는 자식의 벼리가 되고, 남편은 아내의 벼리가 되는 것이니라."

13-07

王蠋曰 忠臣不事二君이요 烈女不更二夫니라.
왕 촉 왈 충신불사이군   열녀불경이부

〈13-05〉目 조목 목. 婦 아내 부.
〈13-06〉綱 벼리 강. 벼리는 우리말로, 그물의 위쪽 코를 꿰어서 오므렸다 폈다 하는 줄을 뜻함. 모범, 법, 본보기.
〈13-07〉蠋 벌레 촉. 烈 매울 렬. 更 번갈을 경.

왕촉이 말하였다. "충신은 두 임금을 섬기지 않고, 열녀는 두 남편을 번갈지 않느니라."

- 王蠋 : 전국시대(戰國時代) 제(齊)나라 사람으로, 제나라가 연(燕)나라에게 패망하자 항복하지 않고 자결하였다.

13-08

忠子曰 治官莫若平이요 臨財莫若廉이니라.
충 자 왈　치 관 막 약 평　　　 임 재 막 약 렴

충자가 말하였다. "벼슬을 다스림에 공평만한 것이 없고, 재물에 임해서는 청렴만한 것이 없느니라."

- 忠子 : 미상.

13-09

張思叔座右銘曰
장 사 숙 좌 우 명 왈

凡語必忠信하며 凡行必篤敬하며
범 어 필 충 신　　 범 행 필 독 경

飮食必愼節하며 字劃必楷正하며
음 식 필 신 절　　 자 획 필 해 정

容貌必端莊하며 衣冠必肅整하며
용 모 필 단 장　　 의 관 필 숙 정

步履必安詳하며 居處必正靜하며
보 리 필 안 상　　 거 처 필 정 정

〈13-08〉官 벼슬 관. 莫 없을 막. 莫若(莫如) ~만한 것이 없다. 臨 임할 림. 廉 청렴할 렴.

作事必謀始하며 出言必顧行하며
작 사 필 모 시　　출 언 필 고 행

常德必固持하며 然諾必重應하며
상 덕 필 고 지　　연 락 필 중 응

見善如己出하며 見惡如己病하라.
견 선 여 기 출　　견 악 여 기 병

凡此十四者는 皆我未深省이라.
범 차 십 사 자　　개 아 미 심 성

書此當座隅하여 朝夕視爲警하노라.
서 차 당 좌 우　　조 석 시 위 경

《장사숙 좌우명》에 말하였다. "모든 말은 반드시 정성스럽고 진실해야
하며, 모든 행동은 반드시 후덕하고 공경스러워야 하며, 음식은 반드
시 삼가고 절제해야 하며, 글씨는 반드시 반듯하고 바르게 써야 하며,
용모는 반드시 단정하고 근엄해야 하며, 의관은 반드시 엄숙하고 가지
런해야 하며, 걸음걸이는 반드시 안정되고 조심스러워야 하며, 거처
는 반드시 바르고 고요해야 하며, 일하는 것은 반드시 시작을 잘 꾀해
야 하며, 말 꺼내는 것은 반드시 행할 것을 돌아보아야 하며, 떳떳한
덕은 반드시 굳게 지녀야 하며, 승낙하는 것은 반드시 신중하게 응해
야 하며, 선한 일 보기를 내 몸에서 나온 것 같이 하며, 악한 일 보기를
내 몸의 병인 것같이 하라. 무릇 이 열네 가지는 모두 내가 미처 깊이
살피지 못했느니라. 이것을 써서 마땅히 자리 곁에 두고 아침저녁으로

〈13-09〉座 자리 좌. 凡 모든 범. 忠 정성 충. 敬 공경할 경. 節 절제할 절. 畵 그을 획. 楷
바를 해. 莊 엄격할 장. 肅 엄숙할 숙. 步 걸음 보. 履 밟을 리. 安詳 성질이 안정
되고 자세함. 靜 고요할 정. 顧 돌아볼 고. 常德 떳떳한 덕. 固 굳을 고. 諾 허락
할 낙. 書 쓸 서. 隅 곁, 옆 우. 爲 삼을 위. 警 경계할 경.

보면서 경계로 삼노라."

- 張思叔 : 북송(北宋)의 학자로, 이름은 역(繹)이고 사숙(思叔)은 자(字)이며 程頤의 문인(門人)이다.
- 座右銘 : 자리 옆에 써 붙여놓고 반성의 자료로 삼는 격언(格言)을 이름.

13-10-1

范益謙座右銘曰
범 익 겸 좌 우 명 왈

一不言朝廷利害邊報差除요
일 불 언 조 정 이 해 변 보 차 제

二不言州縣官員長短得失이요
이 불 언 주 현 관 원 장 단 득 실

三不言衆人所作過惡之事요
삼 불 언 중 인 소 작 과 악 지 사

四不言仕進官職趨時附勢요
사 불 언 사 진 관 직 추 시 부 세

五不言財利多少厭貧求富요
오 불 언 재 리 다 소 염 빈 구 부

六不言淫媟戲慢評論女色이요
육 불 언 음 설 희 만 평 론 여 색

七不言求覓人物干索酒食이니라.
칠 불 언 구 멱 인 물 간 색 주 식

〈13-10-1〉范 성 범. 謙 겸손할 겸. 廷 조정 정. 邊 변방 변. 差 가릴 차. 除 임명할 제. 差除 관직에 임명되는 것. 縣 고을 현. 長短 장점과 단점. 得失 얻고 잃는 것. 趨 향할 추. 附 의지할 부. 淫 음란할 음. 媟 버릇없을 설. 戲 희롱할 희. 慢 거만할 만. 評 평론할 평. 覓 찾을 멱. 求覓 요구함. 干 구할 간, 범할 간. 索 찾을 색. 干索 討索(토색). 돈이나 물품을 억지로 달라고 함.

《범익겸 좌우명》에 말하였다. "첫째, 조정의 이해(利害)와 변방의 보고(報告)와 관직의 임명을 말하지 말라. 둘째, 주현(州縣) 관원(官員)의 장단(長短)과 득실(得失)을 말하지 말라. 셋째, 뭇사람들이 짓는 허물과 악한 일을 말하지 말라. 넷째, 벼슬하여 관직에 나아가는 것과 시류(時流)를 쫓아 권세에 아부하는 것을 말하지 말라. 다섯째, 재물의 이익이 많고 적음과 가난을 싫어하고 부(富)를 구하는 것을 말하지 말라. 여섯째, 음탕하고 외설적이며 희롱하고 거만한 것과 여색을 논평하는 것을 말하지 말라. 일곱째, 남의 물건을 요구하거나 술과 음식을 범하여 구할 것을 말하지 말라."

• 范益謙 : 남송(南宋)의 학자로 이름은 충(冲)이다.

13-10-2

又人附書信을 不可開坼沈滯요
우 인 부 서 신　　불 가 개 탁 침 체

與人並坐에 不可窺人私書요
여 인 병 좌　　불 가 규 인 사 서

凡入人家에 不可看人文字요
범 입 인 가　　불 가 간 인 문 자

凡借人物에 不可損壞不還이요
범 차 인 물　　불 가 손 괴 불 환

凡喫飮食에 不可揀擇去取요
범 끽 음 식　　불 가 간 택 거 취

與人同處에 不可自擇便利요
여 인 동 처　　불 가 자 택 편 리

凡人富貴에 不可歎羨詆毁니라.
범 인 부 귀　　불 가 탄 선 저 훼

凡此數事에 有犯之者면 足以見用意之不肖니
범 차 수 사　　유 범 지 자　　족 이 견 용 의 지 불 초

於存心修身에 大有所害니라. 因書以自警하노라.
어 존 심 수 신　　대 유 소 해　　인 서 이 자 경

"또 남이 부탁한 서신을 뜯어보거나 지체시키지 않아야 하고, 남과 더불어 나란히 앉아서는 남의 사사로운 글을 엿보지 않아야 하고, 무릇 남의 집에 들어감에는 남의 문자를 보지 않아야 하고, 무릇 남의 물건을 빌림에는 손괴하거나 아니 돌려주지 않아야 하고, 무릇 음식을 먹음에는 가려서 버리거나 취하지 않아야 하고, 남과 더불어 거처를 같이함에는 스스로 편리를 가리지 않아야 하고, 무릇 남의 부귀에는 감탄하여 부러워하거나 헐뜯지 않아야 하니라. 무릇 이 몇 가지 일에 범하는 것이 있으면, 마음을 쓰는 것이 어질지 못한 것으로 보이기에 충분하니, 마음을 보존하고 몸을 닦음에 크게 해로운 바가 있는 것이니라. 그리하여 글로 써서 스스로 경계하노라."

13-11

武王問太公曰 人居世上에 何得貴賤貧富不等고.
무 왕 문 태 공 왈　　인 거 세 상　　하 득 귀 천 빈 부 불 등

〈13-10-2〉附 부탁할 부. 私書 사사로운 일을 적은 편지. 坼 열 탁. 滯 막힐 체. 並 나란할 병. 窺 엿볼 규. 壞 무너질 괴. 喫 먹을 끽. 揀 가릴 간. 擇 가릴 택. 歎 탄식할 탄. 羨 부러워할 선. 詆 꾸짖을 저. 毁 헐 훼. 犯 범할 범. 足以 ~하기에 족하다. 肖 어질 초. 不肖 부형(父兄)의 덕을 닮지 못한 못난 사람이란 뜻으로 자신을 겸손히 낮추어 이르는 말. 存心 맹자의 '인간 본연의 선한 마음을 악에 물들이지 않고 굳게 지닌다.'는 뜻. 因 그리하여 인.

願聞說之하여 欲知是矣로이다. 太公曰
원문설지　　욕지시의　　　태공왈

富貴如聖人之德하여 皆由天命이어니와
부귀여성인지덕　　　개유천명

富者用之有節하고 不富者家有十盜니이다.
부자용지유절　　　불부자가유십도

무왕이 태공에게 물어 말하였다.

"사람이 세상을 사는데 어찌 귀천과 부귀가 고르지 않는고? 원하건대,
설명을 들어 이를 알고자 하오이다."

태공이 말하였다.

"부귀는 성인의 덕과 같아서 다 천명(天命)에 달렸거니와, 부유한 사
람은 씀씀이에 절도(節度)가 있고, 부유하지 못한 사람은 집안에 열 가
지 도둑이 있나이다."

- 武王(B.C.1169~1116) : 周나라 문왕(文王)의 아들로 이름은 발(發)이다.
  부왕(父王)의 유업을 계승하여 아우인 주공 단(周公旦)과 함께 은(殷)나라
  주왕(紂王)을 멸하고 주왕조(周王朝)를 세움.

13-12

武王曰 何爲十盜닛고. 太公曰
무왕왈 하위십도　　　태공왈

時熟不收爲一盜요 收積不了爲二盜요
시숙불수위일도　　　수적불료위이도

〈13-11〉武 군사 무. 太公 강태공(姜太公). 居 살 거. 何得 어찌 　할 수 있습니까? 等 같
을 등. 願 원할 원. 欲 하고자할 욕. 由 말미암을 유. 盜 도둑 도.

212

無事燃燈寢睡爲三盜요 慵懶不耕爲四盜요
무 사 연 등 침 수 위 삼 도　　용 라 불 경 위 사 도

不施功力爲五盜요 專行巧害爲六盜요
불 시 공 력 위 오 도　　전 행 교 해 위 육 도

養女太多爲七盜요 晝眠懶起爲八盜요
양 녀 태 다 위 칠 도　　주 면 나 기 위 팔 도

貪酒嗜慾爲九盜요 强行嫉妒爲十盜니이다.
탐 주 기 욕 위 구 도　　강 행 질 투 위 십 도

무왕이 말하였다. "무엇을 열 가지 도둑이라 하는고?"

태공이 말하였다.

"제 때에 익은 곡식을 거둬들이지 않는 것이 첫 번째 도둑이 되고, 곡
식을 거두어 쌓는 것을 마치지 않는 것이 두 번째 도둑이 되고, 일도
없이 등불을 켜놓고 잠자는 것이 세 번째 도둑이 되고, 게을러서 밭 갈
지 않는 것이 네 번째 도둑이 되고, 애써 공력(功力)을 베풀지 않는 것
이 다섯 번째 도둑이 되고, 교활하게 해로운 일을 오로지 행하는 것이
여섯 번째 도둑이 되고, 딸을 기름이 너무 많은 것이 일곱 번째 도둑이
되고, 낮잠을 자고 늦게 일어나는 것이 여덟 번째 도둑이 되고, 술을
탐하며 욕심을 즐기는 것이 아홉 번째 도둑이 되고, 질투를 사납게 일
삼는 것이 열 번째 도둑이 되나이다."

〈13-12〉何爲 무엇이 됩니까? 熟 익을 숙. 積 쌓을 적. 了 마칠 료. 燃 탈 연. 燈 등불 등.
睡 잠잘 수. 晝 낮 주. 慵 게으를 용. 懶 게으를 라. 專 오로지 전. 巧 교활할, 교
묘할 교. 嗜 즐길 기. 强 사나울 강. 嫉 질투할 질. 妒 시샘할 투.

213

13-13

武王曰 家無十盜不富者何如닛고.
무 왕 왈 가 무 십 도 불 부 자 하 여

太公曰 人家必有三耗니이다.
태 공 왈 인 가 필 유 삼 모

武王曰 何名三耗닛고. 太公曰
무 왕 왈 하 명 삼 모   태 공 왈

倉庫漏濫不蓋하여 鼠雀亂食爲一耗요
창 고 루 람 불 개   서 작 난 식 위 일 모

收種失時爲二耗요 抛撒米穀穢賤爲三耗니이다.
수 종 실 시 위 이 모   포 살 미 곡 예 천 위 삼 모

무왕이 말하였다.

"집안에 열 가지 도둑이 없는데도 부유하지 못한 것은 무엇인고?"

태공이 대답하였다.

"그 사람의 집에 반드시 세 가지 소모가 있나이다."

무왕이 말하였다.

"무엇을 세 가지 소모라고 부르는고?"

태공이 대답하였다.

"창고가 새고 넘쳐나도 덮지 않아 쥐와 새들이 어지럽게 먹는 것이 첫째 소모가 되고, 거두고 심는 것이 때를 놓침이 둘째 소모가 되고, 곡식을 함부로 버리고 흩어서 더럽고 천하게 하는 것이 셋째 소모가 되

〈13-13〉 何如 무엇입니까? 耗 소모할 모. 名 부를 명. 倉 곳집 창. 庫 곳집 고. 漏 셀 루. 濫 넘칠 람. 蓋 덮을 개. 鼠 쥐 서. 雀 참새 작. 亂 어지러울 란. 種 심을 종. 抛 버릴 포. 撒 뿌릴 살. 穢 더러울 예.

나이다."

13-14

武王曰 家無三耗而不富者何如닛고.
무 왕 왈 가 무 삼 모 이 불 부 자 하 여

太公曰 人家에 必有一錯二誤三痴四失
태 공 왈 인 가　　필 유 일 착 이 오 삼 치 사 실

五逆六不祥七奴八賤九愚十强하여
오 역 륙 불 상 칠 노 팔 천 구 우 십 강

自招其禍요 非天降殃이니이다.
자 초 기 화　　비 천 강 앙

무왕이 말하였다.

"집안에 세 가지 소모가 없는데도 부유하지 못한 것은 무엇인고?"
태공이 대답하였다.

"그 사람의 집에 반드시 일착(첫째 잘못), 이오(둘째 어긋남), 삼치(셋
째 미련함), 사실(넷째 과실), 오역(다섯째 거슬림), 육불상(여섯째 상
서롭지 못함), 칠노(일곱째 상스러움), 팔천(여덟째 천함), 구우(아홉
째 어리석음), 십강(열째 뻔뻔함)이 있어서 스스로 그 화를 부르는 것
이고, 하늘이 재앙을 내리는 것이 아니나이다."

〈13-14〉錯 잘못 착. 誤 어긋날 오. 痴(癡) 미련할 치. 失 잘못 실. 逆 거슬릴 역. 奴 상스
러울 노. 强 뻔뻔할 강. 招 부를 초. 自 스스로 자. 非 아닐 비. 降 내릴 강. 殃 재
앙 앙.

武王曰 願悉聞之하노이다. 太公曰
무 왕 왈 원 실 문 지   태 공 왈

養男不敎訓爲一錯이요 嬰孩不訓爲二誤요
양 남 불 교 훈 위 일 착   영 해 불 훈 위 이 오

初迎新婦不行嚴訓爲三痴요
초 영 신 부 불 행 엄 훈 위 삼 치

未語先笑爲四失이요 不養父母爲五逆이요
미 어 선 소 위 사 실   불 양 부 모 위 오 역

夜起赤身爲六不祥이요 好挽他弓爲七奴요
야 기 적 신 위 육 불 상   호 만 타 궁 위 칠 노

愛騎他馬爲八賤이요 喫他酒勸他人爲九愚요
애 기 타 마 위 팔 천   끽 타 주 권 타 인 위 구 우

喫他飯命朋友爲十强이니이다.
끽 타 반 명 붕 우 위 십 강

武王曰 甚美誠哉라 是言也여.
무 왕 왈 심 미 성 재   시 언 야

무왕이 말하였다.

"모두 다 듣기를 원하오이다."

태공이 말하였다.

"아들을 기르면서 가르치지 않는 것이 첫째 잘못이 되고, 어린 아이를 훈도하지 않는 것이 둘째 어긋남이 되고, 처음 신부를 맞아들여서 엄하게 가르치지 않는 것이 셋째 미련함이 되고, 말하기 전에 먼저 웃는 것이 넷째 과실이 되고, 부모를 봉양하지 않는 것이 다섯째 거스름이 되고, 밤에 알몸으로 일어나는 것이 여섯째 상서롭지 못함이 되고, 남의 활 당기기를 좋아하는 것이 일곱째 상스러움이 되고, 남의 말 타기

를 사랑하는 것이 여덟째 천함이 되고, 남의 술을 마시면서 다른 사람에게 권하는 것이 아홉째 어리석음이 되고, 남의 밥을 먹으면서 친구에게 명하는 것이 열째 뻔뻔함이 되나이다."

무왕이 말하였다. "매우 아름답고 진실하도다. 이 말씀이여!"

〈13-15〉 悉 다 실. 嬰 갓난아기 영. 孩 어린아이 해. 迎 맞을 영. 失 잃을 실. 赤 발가벗을 적. 祥 상서로울 상. 挽 당길 만. 奴 종 노. 騎 말탈 기. 喫 먹을 끽. 甚 매우 심. 誠 진실할 성.

治政篇(치정편)

정(政)은 정(正)이다.

14-01

明道先生曰
명 도 선 생 왈

一命之士 苟存心於愛物이면 於人必有所濟니라.
일 명 지 사 구 존 심 어 애 물　　　 어 인 필 유 소 제

명도선생이 말하였다.

"처음 임명을 받은 선비가 진실로 사물을 아낌에 마음을 둔다면 사람
들에게 반드시 구제할 바가 있느니라."

- 明道先生(1032~1085) : 북송(北宋)의 유학자로, 성(姓)은 정(程)이고 이
  름은 호(顥)이다. 자는 백순(伯淳)이고 명도는 호이다. 그 동생은 이름이
  이(頤)이고, 호는 伊川(이천)으로, 두 형제를 정자(程子)라고 일컫는다.

〈14-01〉 一命之士 옛날의 벼슬품계에 일명(一命)부터 구명(九命)까지 있어서, 벼슬에 처음
임명된 낮은 벼슬아치를 가리킴. 苟 진실로 구. 存 둘 존.

4-02

宋太宗御製云
송 태 종 어 제 운

上有麾之하고 中有乘之하고 下有附之하여
상 유 휘 지   중 유 승 지   하 유 부 지

幣帛衣之요 倉廩食之하니
폐 백 의 지   창 름 식 지

爾俸爾祿이 民膏民脂나라.
이 봉 이 록   민 고 민 지

下民易虐이어니와 上天難欺나라.
하 민 이 학   상 천 난 기

《송태종 어제》에 이르기를, "위에는 지휘하는 이가 있고, 중간에는 이
를 하달하는 이가 있고, 아래에는 이를 따르는 이가 있어서, 폐백으로
옷을 지어입고, 곳간의 곡식으로 먹으니, 너의 봉록(俸祿)이 모두 백성
의 피와 땀이니라. 아래에 있는 백성은 학대하기 쉽거니와, 위에 있는
하늘은 속이기 어려우니라."

• 송태종 : 원래 오대(五代)시대 후촉(後蜀)의 군주 맹창(孟昶)이 지
  은 것으로, 송태종이 '爾俸爾祿, 民膏民脂. 下民易虐, 上天難欺.'를
  써서 각 지방의 청사 앞에 세워 수령(守令)들을 경계하였기 때문에
  계석(戒石), 계석명(戒石銘)이라 하였으며, 송태종의 어제로 알려
  지게 되었다.

〈14-02〉 宗 마루 종. 製 지을 제. 御製 임금이 지은 글. 麾 지휘할 휘. 乘 하달할 승. 附
따를 부. 幣 폐백 폐. 帛 비단 백. 衣 입을 의. 倉 곳집 창. 廩 곳집 름. 爾 너 이.
膏 기름 고. 脂 비계 지. 俸祿 녹봉(祿俸), 지금의 월급. 봉급에 해당하는 말. 下民
백성. 易 쉬울 이. 虐 학대할 학. 難 어려울 난. 欺 속일 기.

14-03

童蒙訓曰 當官之法이 唯有三事하니
동 몽 훈 왈 당 관 지 법   유 유 삼 사

曰淸曰愼曰勤이라. 知此三者면 知所以持身矣니라.
왈 청 왈 신 왈 근   지 차 삼 자   지 소 이 지 신 의

《동몽훈》에 말하였다. "벼슬을 담당하는 법이 오직 세 가지가 있으니,
청렴할 것과 신중할 것과 근면할 것이니라. 이 세 가지를 알면 몸을 간직
할 바를 아는 것이니라."

• 《童蒙訓》: 송(宋)나라 때 여본중(呂本中)이 지은 책이다.

14-04

當官者는 必以暴怒爲戒하여
당 관 자   필 이 폭 노 위 계

事有不可어든 當詳處之면 必無不中이어니와
사 유 불 가   당 상 처 지   필 무 부 중

若先暴怒면 只能自害니 豈能害人이리오.
약 선 폭 노   지 능 자 해   기 능 해 인

"관직을 담당하는 사람은 반드시 버럭 화내는(격노함) 것으로써 경계
를 삼아서, 일에 옳지 않음이 있거든 마땅히 자상하게 처리하면 반드
시 적절치 못함이 없거니와, 만약 먼저 격노한다면 다만 자신을 해칠
뿐, 어찌 남을 해치리오?"

〈14-03〉蒙 어릴 몽. 當 당할 당. 淸 깨끗할 청. 三者 세 가지. 所以 까닭, 방법. 持 가질 지
〈14-04〉暴 갑자기 폭. 暴怒 일을 살펴보지 않고 갑자기 성냄.(=激怒 격렬하게 성냄). 戒 경
　　　　계 계. 詳 자세할 상. 無不 ~하지 않는 것이 없다. 中 맞을 중.

14-05

事君如事親하며 事官長如事兄하며
사 군 여 사 친   사 관 장 여 사 형

與同僚如家人하며 待群吏如奴僕하며
여 동 료 여 가 인   대 군 리 여 노 복

愛百姓如妻子하며
백 성 여 처 자

處官事如家事然後에야 能盡吾之心이니
처 관 사 여 가 사 연 후   능 진 오 지 심

如有毫末不至면 皆吾心有所未盡也니라.
여 유 호 말 부 지   개 오 심 유 소 미 진 야

"임금 섬기기를 어버이 섬기는 것과 같이 하며, 상관 섬기기를 형 섬기는 것과 같이 하며, 동료와 함께하기를 집안사람과 같이하며, 여러 아전 대우하기를 집안의 노복과 같이 하며, 백성 아끼기를 처자와 같이 하며, 관청의 일 처리하기를 집안일과 같이 한 뒤에야 능히 나의 마음을 다한 것이니, 만일 털끝만치라도 이르지 못함이 있으면 모두 내 마음에 다하지 아니한 바가 있는 것이니라."

14-06

或問 簿佐令者也니 簿所欲爲를 令或不從이면 柰何닛고.
혹 문 부 좌 령 자 야   부 소 욕 위   영 혹 부 종   내 하

伊川先生曰 當以誠意動之니라.
이 천 선 생 왈 당 이 성 의 동 지

〈14-05〉親 어버이 친. 僚 동료 료. 待 대접할 대. 群 무리 군. 吏 아전 리. 僕 종 복. 然後 ~ 한 뒤에. 豪末 터럭 끝. 아주 조금을 이름. 皆 다 개.

今令與簿不和는 便是爭私意요
금 령 여 부 불 화　　변 시 쟁 사 의

令是邑之長이니 若能以事父兄之道事之하여
영 시 읍 지 장　　　약 능 이 사 부 형 지 도 사 지

過則歸己하고 善則唯恐不歸於令하여
과 즉 귀 기　　　선 즉 유 공 불 귀 어 령

積此誠意면 豈有不動得人이리오.
적 차 성 의　　기 유 부 동 득 인

어떤 사람이 물었다.

"부(簿)는 수령(守令)을 보좌하는 사람이니, 부가 하고자 하는 바를 수령이 혹 따라주지 않으면 어찌 하리오?"

이천선생이 말하였다.

"마땅히 정성된 뜻으로써 감동시켜야 하니라. 지금 영(令)과 부(簿)가 화합을 못하는 것은 곧 사사로운 뜻을 다투는 것이고, 영은 고을의 장관이니, 만약 부형을 섬기는 도리로써 그를 섬겨서 허물은 자기에게 돌리고 잘한 일이면 오직 영에게 돌아가지 않을까 염려하여 이러한 성의(誠意)를 쌓을 수 있다면, 어찌 감동시켜 사람을 얻지 못하리오?"

- 伊川(1033~1107) : 북송(北宋) 때의 대학자로, 명도(明道)선생의 아우이며, 성은 정(程)이고 이름은 이(頤)이며, 자는 정숙(正叔)이고 이천은 호이다. 성리학(性理學)의 대가로 저서에는 《역전(易傳)》, 《어록(語錄)》등이 있다. 명도와 이천을 아울러 정자(程子)라고 일컫는다.

〈14-06〉 簿 관리 부. 佐 도울 좌. 令 수령 령. 奈 어찌 내. 奈何 어떻게, 어찌 ~합니까? 誠 정성 성. 伊 저 이. 爭 다툴 쟁. 邑 고을 읍. 積 쌓을 적.

222

14-07

劉安禮問臨民한대 明道先生曰 使民各得輸其情이니라.
류안례문림민　　　　　　명도선생왈 사민각득수기정

問御吏한대 曰 正己以格物이니라.
문어리　　　왈 정기이격물

유안례가 백성의 다스림을 물으니, 명도선생이 말하였다.

"백성으로 하여금 각자 그 실정을 얻어 다하게 하는 것이니라."

아전의 부림을 물으니, 말하였다.

"자기를 바르게 하여 남을 이르게 하는 것이니라."

• 劉安禮　북송(北宋) 때의 사람으로 자는 원소(元素)이다.

14-08

抱朴子曰 迎斧鉞而正諫하며
포박자왈 영부월이정간

據鼎鑊而盡言이면 此謂忠臣也니라.
거정확이진언　　　차위충신야

포박자가 말하였다. "도끼를 맞아도 바르게 간언하며, 솥 안에 들어 있
어도 옳은 말을 다하면 이를 충신이라고 이르느라."

• 포박자(抱朴子)　晉(진)나라 초기의 도가(道家)로 성은 갈(葛)이고 이름은
홍(洪)이며, 〈포박자〉는 호이며 저서이다.

〈14-07〉臨 다스림 림. 使 하여금 사. 輸 다할 수. 情 뜻, 실정(實情) 정. 御 부릴 어. 吏 아전
리. 格 바를 격.

〈14-08〉抱 안을 포. 迎 맞을 영. 斧 도끼 부. 鉞 도끼 월. 諫 간할 간. 據 웅거할 거. 鼎 솥
정. 鑊 가마솥 확.

治家篇(치가편)

집안은 화목이 으뜸이다.

15-01

司馬溫公曰 凡諸卑幼는 事無大小히
사 마 온 공 왈 범 제 비 유   사 무 대 소

毋得專行하고 必咨稟於家長이니라.
무 득 전 행   필 자 품 어 가 장

사마온공이 말하였다.

"무릇 항렬이 낮은 이와 어린이들이 일에 대소(大小) 없이 제멋대로 행하지 말고, 반드시 집안의 어른에게 여쭈어야 하느니라."

15-02

待客不得不豊이요 治家不得不儉이니라.
대 객 부 득 불 풍   치 가 부 득 불 검

〈15-01〉司 맡을 사. 凡 무릇 범. 諸 모두 제. 卑 낮을 비. 毋 말 무. 專 전단할 전. 咨 물을 자. 稟 여쭐 품.

"손님을 접대함에는 풍성하지 않을 수 없고, 집안을 다스림에는 검소하지 않을 수 없느니라."

15-03

太公曰 痴人畏婦하고 賢女敬夫니라.
태 공 왈 치 인 외 부   현 녀 경 부

태공이 말하였다. "어리석은 사람은 아내를 두려워하고, 현명한 여자는 남편을 공경하느니라.

15-04

凡使奴僕에 先念飢寒이니라.
범 사 노 복   선 념 기 한

"무릇 노복(奴僕)을 부림에 먼저 그들의 춥고 배고픔을 생각해야 하느니라."

15-05

子孝雙親樂이요 家和萬事成이니라.
자 효 쌍 친 락   가 화 만 사 성

〈15-02〉待 접대할 대. 豊 풍성할 풍. 不得不 ~하지 않을 수 없다.
〈15-03〉痴 어리석을 치 . 畏 두려울 외. 敬 공경할 경.
〈15-04〉使 부릴 사. 僕 종 복. 奴僕(노복) 집안에서 부리는 여종과 남종. 飢 주릴 기 o寒
          찰 한

"자식이 효도하면 두 어버이가 즐거워하고, 집안이 화목하면 만사가 잘 이루어지느니라."

15-06

時時防火發하고 夜夜備賊來니라.
시 시 방 화 발　　　야 야 비 적 래

"항상 불나는 것을 방비하고, 밤마다 도적 드는 것을 방비해야 하느니라."

15-07

景行錄云 觀朝夕之早晏하여 可以卜人家之興替니라.
경 행 록 운 관 조 석 지 조 안　　　가 이 복 인 가 지 흥 체

《경행록》에 이르기를, "아침저녁의 빠르고 늦음을 관찰하여 그 사람의 집이 흥하고 쇠할 것을 점칠 수 있느니라."

15-08

文仲子曰 婚娶而論財는 夷虜之道也니라.
문 중 자 왈 혼 취 이 논 재　　　이 로 지 도 야

⟨15-05⟩ 雙 두 쌍. 親 어버이 친.
⟨15-06⟩ 時時 항상. 防 막을 방. 發 일어날 발. 備 대비할 비. 賊 도둑 적.
⟨15-07⟩ 早 이를 조. 晏 늦을 안. 可以 ~할 수 있다. 卜 점칠 복. 替 쇠할 체. 興替(흥체)
　　　흥하고 쇠함.

문중자가 말하였다.

"시집가고 장가들 때에 재물을 논하는 것은 오랑캐의 법도이니라."

- 문중자(文仲子) : 수(隋)나라의 학자로 왕통(王通)의 사사로운 시호(諡號)
  이다. 육영(育英)에 힘써 두여회(杜如晦), 위징(魏徵) 등 고명한 제자들을
  배출하였다.

〈15-08〉婚 시집갈 혼. 娶 장가들 취. 虜 오랑캐 로.

安義篇(안의편)

의리를 보존한다.

16-01

顔氏家訓曰
안 씨 가 훈 왈

夫有人民而後有夫婦하고 有夫婦而後有父子하고
부 유 인 민 이 후 유 부 부   유 부 부 이 후 유 부 자

有父子而後有兄弟하니 一家之親은 此三者而已矣라.
유 부 자 이 후 유 형 제   일 가 지 친   차 삼 자 이 이 의

自玆以往으로 至于九族히 皆本於三親焉이라.
자 자 이 왕   지 우 구 족   개 본 어 삼 친 언

故로 於人倫爲重也니 不可無篤이니라.
고   어 인 륜 위 중 야   불 가 무 독

〈안씨 가훈〉에 말하였다. "무릇 인민(人民)이 있은 뒤에 부부가 있고,

〈16-01〉夫 (발어사)대저, 무릇 부. ~而後 ~한 뒤에. ~而已矣 ~일 뿐이다. 自 ~로부터.
玆 이 자. 以往(以來) 나아가, 이래로焉 (종결형)어조사 언(~ 於 ~ 焉). 不可 ~할
수 없다. 옳지 않다. 九族 고조, 증조, 조부, 부, 자기, 아들, 손자, 증손, 현손의 직계
친족. 三親 부부, 부자, 형제. 篤 두터울 독.

부부가 있은 뒤에 부자가 있고, 부자가 있은 뒤에 형제가 있으니, 한 집안의 친족(親族)은 이 세 가지일 뿐이니라. 이로 나아감으로부터 구족(九族)에 이르기까지 모두 삼친(三親)에 근본을 두니라. 그러므로 인륜에 중요한 것이니 돈독함이 없을 수 없느니라."

• 《顔氏家訓》: 제(齊)나라의 안지추(顔之推)가 지었으며 두 권으로 되어 있다.

16-02

莊子曰 兄弟爲手足하고 夫婦爲衣服이니
장 자 왈 형 제 위 수 족   부 부 위 의 복

衣服破時更得新이어니와 手足斷處難可續이니라.
의 복 파 시 갱 득 신   수 족 단 처 난 가 속

장자가 말하였다. "형제는 수족이 되고 부부는 의복이 되니, 의복이 망가졌을 때는 다시 새것을 얻거니와, 수족이 끊어진 곳은 잇기가 어려우니라."

16-03

蘇東坡云 富不親兮貧不踈는 此是人間大丈夫요
소 동 파 운 부 불 친 혜 빈 불 소   차 시 인 간 대 장 부

富則進兮貧則退는 此是人間眞小輩니라.
부 즉 진 혜 빈 즉 퇴   차 시 인 간 진 소 배

〈16-02〉 爲 될 위. 破 망가질 파. 時 때 시. 更 다시 갱. 得新 새롭게 할 수 있다. 斷 끊을 단. 難 어려울 난. 續 이을 속.

소동파가 이르기를, "부유해도 친하지 않고 가난해도 소홀하지 않는 것은 이야말로 인간의 대장부이고, 부유하면 나아가고 가난하면 물러나는 것은 이야말로 인간의 진짜 소인배이니라."

〈16-01〉蘇 소생할, 성 소. 坡 언덕 파. 兮 어조사 혜. 疎 성글 소. 丈 어른 장. 人間 人生 世間의 줄임말로 사람 사는 세상을 뜻함. 輩 무리 배.

遵禮篇(준례편)

예로써 본성을 회복한다.

17-01

子曰 居家有禮故로 長幼辨하고
자 왈 거 가 유 례 고   장 유 변

閨門有禮故로 三族和하고 朝廷有禮故로 官爵序하고
규 문 유 례 고   삼 족 화   조 정 유 례 고   관 작 서

田獵有禮故로 戎事閑하고 軍旅有禮故로 武功成이니라.
전 렵 유 례 고   융 사 한   군 려 유 례 고   무 공 성

공자께서 말씀하셨다.

"집안 거처함에 예법이 있으므로 어른과 아이가 분별되고, 안방에 예법이 있으므로 삼족(三族)이 화목하고, 조정에 예법이 있으므로 관직과 작위에 질서가 있고, 사냥에 예법이 있으므로 군사훈련이 익혀지고, 군대에 예법이 있으므로 무공이 이루어지느니라."

〈17-01〉遵 좇을 준. 辨 분별할 변. 閨 안방 규. 閨門 침실 안. 안방. 三族 부부, 부자, 형제를 말함. 爵 벼슬 작. 序 차례 서. 田 사냥할 전. 獵 사냥할 렵. 戎 군사 융. 閑 익힐 한. 旅 군대 려.

17-02

子曰 君子有勇而無禮면 爲亂하고
자 왈 군 자 유 용 이 무 례   위 란

小人有勇而無禮면 爲盜니라.
소 인 유 용 이 무 례   위 도

공자께서 말씀하셨다. "군자가 용맹만 있고 예법이 없으면 난적이 되고, 소인이 용맹만 있고 예법이 없으면 도적이 되느니라."

17-03

曾子曰 朝廷莫如爵이요 鄕黨莫如齒요
증 자 왈 조 정 막 여 작   향 당 막 여 치

輔世長民莫如德이니라.
보 세 장 민 막 여 덕

증자가 말하였다. "조정에는 벼슬만한 것이 없고, 마을에는 나이만한 것이 없고, 세상을 돕고 백성을 가르침에는 덕(德)만한 것이 없느니라."

- 曾子(B.C. 506~?) : 춘추(春秋)시대 노(魯)나라의 사상가로, 이름은 삼(參)이며 공자(孔子)의 학통(學統)을 잇는 제자이다. 저서에 《대학(大學)》이 있다.

〈17-02〉 爲 될 위. 亂 난적 란. 盜 도적 도
〈17-03〉 曾 일찍 증. 廷 조정 정. 莫如 ~와 같은 것이 없다 ~만한 것이 없다. 鄕黨 향리. 마을. 齒 나이 치. 輔 도울 보. 長 가르칠 장.

17-04

老少長幼天分秩序니 不可悖理而傷道也니라.
노 소 장 유 천 분 질 서   불 가 패 리 이 상 도 야

"늙은이와 젊은이, 어른과 아이는 하늘이 나눈 질서이니, 이치를 어
그러뜨리고 도리를 해칠 수 없느니라."

17-05

出門如見大賓하고 入室如有人이니라.
출 문 여 견 대 빈   입 실 여 유 인

"문을 나갔을 때에는 큰 손님을 만나는 것 같이 하고, 방에 들어갔을
때에는 사람이 있는 것같이 하라."

17-06

若要人重我면 無過我重人이니라.
약 요 인 중 아   무 과 아 중 인

"만약 남이 나를 소중히 여기기를 바란다면, 내가 남을 소중히 여기는
것보다 나은 것이 없느니라."

〈17-04〉老 늙을 로. 少 젊을 소. 秩 차례 질. 悖 어그러질 패. 傷 해칠 상.
〈17-06〉要 바랄 요. 重 소중히 여길 중. 無過 ~보다 나은 것이 없다.

17-07

父不言子之德_{이요} 子不談父之過_{니라.}
부 불 언 자 지 덕   자 불 담 부 지 과

"부모는 자식의 덕을 말하지 않아야 하고, 자식은 부모의 허물을 말하

지 않아야 하느니라."

言語篇(언어편)

말을 아껴야 한다.

18-01

劉會曰 言不中理면 不如不言이니라.
유 회 왈 언 부 중 리   불 여 불 언

유회가 말하였다.

"말이 이치에 맞지 않으면 말을 아니 한 것만 못하니라."

18-02

一言不中이면 千語無用이니라.
일 언 부 중   천 어 무 용

"한 마디 말이 맞지 않으면 천 마디 말이 쓸모가 없느니라."

❖ 劉會 : 미상.

〈18-01〉劉 성 류. 會 모을 회. 中 맞을 중. 不如 ~만 못하다.

18-03

君平曰 口舌者는 禍患之門이요 滅身之斧也니라.
군 평 왈   구 설 자   화 환 지 문   멸 신 지 부 야

군평이 말하였다.

"입과 혀는 재앙과 근심의 문이요, 몸을 망치는 도끼니라."

❖ 君平 : 전한(前漢) 무제(武帝) 때 사람인 엄군평(嚴君平)인 듯하다.

18-04

利人之言은 煖如綿絮하고 傷人之語는 利如荊棘하여
이 인 지 언   난 여 면 서   상 인 지 어   이 여 형 극

一言利人은 重值千金이요. 一語傷人은 痛如刀割이니라.
일 언 이 인   중 치 천 금   일 어 상 인   통 여 도 할

"사람을 이롭게 하는 말은 따뜻하기가 솜과 같고, 사람을 상하게 하는 말은 날카롭기가 가시와 같아서, 한 마디 말로 사람을 이롭게 하는 것은 소중한 값어치가 천금이고, 한 마디 말로 사람을 상하게 하는 것은 아프기가 칼로 쪼개는 것과 같으니라."

18-05

口是傷人斧요 言是割舌刀니
구 시 상 인 부   언 시 할 설 도

〈18-03〉 斧 도끼 부.
〈18-04〉 利 이로울, 날카로울 리. 煖 따뜻할 난. 綿 솜 면. 絮 솜 서. 荊 가시 형. 棘 가시 극. 値 값 치. 割 가를 할

閉口深藏舌이면 安身處處牢니라.
폐 구 심 장 설   안 신 처 처 로

"입은 사람을 상하는 도끼이고 말은 혀를 베는 칼이니, 입을 닫고 혀를 깊숙이 감추면 몸을 편안케 함이 어느 곳에서나 견고하니라."

18-06

逢人且說三分話하고 未可全抛一片心이니
봉 인 차 설 삼 분 화   미 가 전 포 일 편 심
不怕虎生三個口요 只恐人情兩樣心이니라.
불 파 호 생 삼 개 구   지 공 인 정 양 양 심

"사람을 만남에 우선 삼분(30%)의 말만 하고, 한 조각 마음마저 온전히 털어놓을 수 없는 것이니, 호랑이에게 세 개의 입이 생기는 것을 두려워 말고, 다만 인정의 두 가지 마음을 두려워해야 하느니라."

18-07

酒逢知己千鐘少요 話不投機一句多니라.
주 봉 지 기 천 종 소   화 불 투 기 일 구 다

"술은 나를 알아주는 친구를 만나면 천 잔도 적고, 말은 적당한 기회에 던지지 못하면 한 마디도 많으니라."

〈18-05〉是 ~이다. 處處 여러 곳. 모든 곳. 여기저기. 牢 굳을 로.
〈18-06〉且 우선 차. 三分 30%, 조금이란 뜻.(十分 100%). 全 온전히 전. 抛 던질 포. 怕
  두려울 파. 生 날 생. 樣 모양 양
〈18-07〉知己 나를 알아주는 친구. 鐘 술잔 종. 機 기회 기.

交友篇(교우편)

교우로써 인(仁)을 돕는다.

19-01

子曰 與善人居면 如入芝蘭之室하여
자 왈 여 선 인 거　　여 입 지 란 지 실

久而不聞其香이나 卽與之化矣요
구 이 불 문 기 향　　즉 여 지 화 의

與不善人居면 如入鮑魚之肆하여
여 불 선 인 거　　여 입 포 어 지 사

久而不聞其臭나 亦與之化矣니
구 이 불 문 기 취　　역 여 지 화 의

丹之所藏者赤하고 漆之所藏者黑이라.
단 지 소 장 자 적　　칠 지 소 장 자 흑

是以로 君子必愼其所與處者焉이니라.
시 이　　군 자 필 신 기 소 여 처 자 언

〈19-01〉與 함께 여. 居 살 거. 芝 지초(芝草) 지. 室 방(房) 실. 聞 맡을 문. 卽 곧 즉. 化
화(化)할 화. 鮑 절인생선 포. 肆 가게 사. 丹 단사(丹砂) 단. 藏 간직할 장. 者 것
자. 漆 옻 칠. 是以 이런 까닭으로. 焉 어조사 언.

공자께서 말씀하셨다.

"착한 사람과 더불어 거처하면 향기로운 지초와 난초가 있는 방안에 들어간 것과 같아서 오래됨에 그 향을 맡지 못하나, 곧 그와 더불어 동화되고, 착하지 못한 사람과 함께 있는 것은 절인 생선가게에 들어간 것과 같아서 오래됨에 그 냄새를 맡지 못하나, 또한 그와 더불어 동화되느니라. 단사(丹砂)가 간직한 것은 붉고, 옷이 간직한 것은 검으니라. 이런 까닭으로 군자는 반드시 더불어 거처하는 사람을 삼가나라."

19-02

家語云 與好學人同行이면 如霧露中行하여
가 어 운 여 호 학 인 동 행   여 무 로 중 행

雖不濕衣라도 時時有潤하고
수 불 습 의   시 시 유 윤

與無識人同行이면 如厠中坐하여
여 무 식 인 동 행   여 측 중 좌

雖不汚衣라도 時時聞臭니라.
수 불 오 의   시 시 문 취

《공자가어》에 이르기를, "배우기를 좋아하는 사람과 더불어 동행하면 안개 속을 가는 것과 같아서 비록 옷을 적시지 않더라도 항상 촉촉함이 있고, 무식한 사람과 더불어 동행하면 뒷간에 앉아있는 것과 같아서 비록 옷을 더럽히지 않더라도 항상 그 냄새를 풍기느니라."

〈19-02〉霧 안개 무. 濕 젖을 습. 時時 항상 . 潤 촉촉할 윤. 厠 뒷간 측.

19-03

子曰 晏平仲은 善與人交로다. 久而敬之온여.
자 왈 안 평 중 선 여 인 교 구 이 경 지

공자께서 말씀하셨다. "안평중은 사람과 더불어 사귀기를 잘하도다.
오래되어도 공경하는구나."

• 晏平仲 : 춘추(春秋)시대 제(齊)나라의 재상으로 이름은 영(嬰)이며 평중
  은 자(字)이다.

19-04

相識滿天下로되 知心能幾人고.
상 식 만 천 하 지 심 능 기 인

"낯익은 사람이 세상에 가득하지만 마음을 알아주는 사람은 몇이나 되
는고?"

19-05

酒食兄弟千個有로되 急難之朋一個無니라.
주 식 형 제 천 개 유 급 난 지 붕 일 개 무

"술과 음식을 같이 먹는 형제는 천 명이 있으나 위급하고 어려울 때 도
와주는 친구는 한 사람도 없느니라."

〈19-03〉善 잘할(착할) 선.
〈19-04〉滿 가득할 만. 幾 몇 기.

19-06

不結子花休要種이요 無義之朋不可交니라.
불 결 자 화 휴 요 종　　　무 의 지 붕 불 가 교

"열매 없는 꽃은 굳이 심지 말고 의리 없는 친구는 사귀지 말라."

19-07

君子之交淡如水요 小人之交甘若醴니라.
군 자 지 교 담 여 수　　　소 인 지 교 감 약 례

"군자의 사귐은 담박하기가 물과 같고, 소인의 사귐은 달기가 단술과 같으니라."

❖ 이 내용은《장자》의〈山木〉에 보인다.

19-08

路遙知馬力이요 日久見人心이니라.
로 요 지 마 력　　　일 구 견 인 심

"길이 멀면 말의 힘을 알게 되고, 날이 오래되면 사람의 마음을 보느니라."

〈19-06〉子 열매 자. 休 말 휴. 要 하고자할 요(꼭, 반드시 ~하려 하다.) 種 심을 종.
〈19-07〉淡 담박할 담. 醴 단술 례.
〈19-08〉遙 멀 요. 日 날 일. 久 오랠 구.

婦行篇(부행편)

부덕(婦德)

20-01

益智書云 女有四德之譽하니 一日婦德이요
二日婦容이요 三日婦言이요 四日婦工也니라.

《익지서》에 이르기를, "여자에게는 네 가지 덕의 영예로움이 있으니,
첫째는 부덕(婦德)이요, 둘째는 부용(婦容)이요, 셋째는 부언(婦言)이
요, 넷째는 부공(婦工)이니라."

20-02

婦德者不必才名絶異요 婦容者不必顔色美麗요

〈20-01〉譽 영예로움 예. 工 솜씨 공.

242

婦言者不必辯口利詞요 婦工者不必技巧過人也니라.
부 언 자 불 필 변 구 리 사　　부 공 자 불 필 기 교 과 인 야

"부덕(婦德)은 반드시 재주와 명성이 뛰어나게 다를 필요는 없고, 부용(婦容)은 반드시 얼굴이 아름답고 고울 필요는 없고, 부언(婦言)은 반드시 뛰어난 말솜씨로 말을 잘할 필요는 없고, 부공(婦工)은 반드시 기교가 남보다 뛰어날 필요는 없느니라."

20-03

其婦德者는 淸貞廉節하여 守分整齊하고
기 부 덕 자　　청 정 염 절　　수 분 정 제

行止有恥하여 動靜有法이니 此爲婦德也니라.
행 지 유 치　　동 정 유 법　　차 위 부 덕 야

婦容者는 洗浣塵垢하여 衣服鮮潔하며
부 용 자　　세 완 진 구　　의 복 선 결

沐浴及時하여 一身無穢니 此爲婦容也니라.
목 욕 급 시　　일 신 무 예　　차 위 부 용 야

婦言者는 擇辭而說하여 不談非禮하고
부 언 자　　택 사 이 설　　부 담 비 례

時然後言하여 人不厭其言이니 此爲婦言也니라.
시 연 후 언　　인 불 염 기 언　　차 위 부 언 야

婦工者는 專勤紡績하여 勿好葷酒하고
부 공 자　　전 근 방 적　　물 호 훈 주

供具甘旨하여 以奉賓客이니 此爲婦工也니라.
공 구 감 지　　이 봉 빈 객　　차 위 부 공 야

〈20-02〉 不必 반드시 ~할 필요는 없다. 未必 아직 ~할 필요는 없다. 絶異 매우 뛰어남.
利 날랠 리. 巧 솜씨 있을 교. 過人 남보다 뛰어남.

"그 부덕(婦德)은 청렴과 절개를 맑고 곧게 하여 분수를 지켜 정돈하여 가지런히 하고, 행동거지(行動擧止)에 염치가 있어서 동정지간(動靜之間)에 법도가 있는 것이니, 이것이 부덕(婦德)이니라. 부용(婦容)은 먼지나 때를 씻어내 의복을 곱고 정결하게 하며, 목욕을 제때에 하여 일신에 더러움이 없게 하는 것이니, 이것이 부용(婦容)이니라. 부언(婦言)은 본받을 만한 것을 가려서 말하여 예가 아닌 말을 하지 않고, 때가 된 뒤에 말을 해서 사람들이 그 말을 싫어하지 않는 것이니, 이것이 부언(婦言)이니라. 부공(婦工)은 오로지 길쌈을 부지런히 하여 훈채와 술을 좋아 하지 말고, 음식을 맛있게 하여 손님을 받드는 것이니, 이것이 부공(婦工)이니라."

20-04

此四德者는 是婦人之所不可缺者라.
차 사 덕 자   시 부 인 지 소 불 가 결 자

爲之甚易하고 務之在正하니
위 지 심 이   무 지 재 정

依此而行이면 是爲婦節이니라.
의 차 이 행   시 위 부 절

〈20-03〉 整齊 정리하여 가지런히 함. 行止 행함과 그침. 행동거지(行動擧止). 動靜 움직임과 정지함. 기거동작(起居動作). 擇 가릴 택. 洗 씻을 세. 浣 빨 완. 塵 먼지 진. 垢 때 구. 鮮 고울 선. 潔 깨끗할 결. 沐 머리감을 목. 浴 목욕할 욕. 穢 더러울 예. 師 본받을 사. 紡 길쌈 방. 績 길쌈 적. 葷 훈채 훈(마늘, 생강, 파 등 맵거나 냄새나는 채소). 供具 음식.
〈20-04〉 缺 모자랄 결. 爲 행할 위. 務 힘쓸 무. 依 좇을 의.

"네 가지 덕은 부인이 빠뜨릴 수 없는 것이니라. 행하기가 매우 쉽고 힘쓰기가 올바름에 있으니, 이것을 따라서 행하면 부인의 예절이 되느니라."

20-05

太公曰 婦人之禮는 語必細니라.
태 공 왈 부 인 지 례   어 필 세

태공이 말하였다.
"부인의 예절은 말이 반드시 조용해야 하느니라."

20-06

賢婦令夫貴하고 佞婦令夫賤이니라.
현 부 영 부 귀   영 부 영 부 천

"현명(賢明)한 부인은 남편을 귀하게 만들고, 사특한 부인은 남편을 천하게 만드느니라."

20-07

家有賢妻면 夫不遭橫禍니라.
가 유 현 처   부 부 조 횡 화

〈20-05〉 細 가늘 세.
〈20-06〉 佞 사특할. 말재주 있을 녕.
〈20-07〉 遭 만날 조. 橫 거스를 횡.

"집안에 현명한 아내가 있으면 남편이 뜻밖의 재앙을 만나지 않느니라."

20-08

賢婦和六親하고 佞婦破六親이니라.
현 무 화 육 친　　　　넝 부 파 륙 친

"현명한 부인은 육친을 화목하게 하고, 사특한 부인은 육친의 화목을 깨뜨리느니라."

〈20-08〉 六親 부모형제처자(父母兄弟妻子)의 친족. 모든 친척을 지칭함.

勸學篇(권학편)

배움은 때가 있다.

21-01

朱文公曰 勿謂今日不學而有來日하며
주 문 공 왈 물 위 금 일 불 학 이 유 래 일

勿謂今年不學而有來年하라.
물 위 금 년 불 학 이 유 래 년

日月逝矣요 歲不我延이니 嗚呼老矣라. 是誰之愆고.
일 월 서 의   세 불 아 연   오 호 로 의   시 수 지 건

주문공(朱子)이 말하였다.

"오늘 배우지 않고서 내일이 있다고 말하지 말며, 금년에 배우지 않고
서 내년이 있다고 말하지 말라. 해와 달은 흘러가고, 세월은 나를 기다
리지 않으니, 아! 늙었구나! 이 누구의 허물인고?"

〈21-01〉勸 권면할 권. 勿 말 물. 謂 말할 위. 逝 갈 서. 延 늦출 연. 嗚呼 탄식하는 소리.
愆 허물 건.

21-02

少年易老學難成하니 一寸光陰不可輕이라.
소년이로학난성　　　일촌광음불가경

未覺池塘春草夢인데 階前梧葉已秋聲이라.
미각지당춘초몽　　　계전오엽이추성

"소년은 늙기 쉽고 학문은 이루기 어려우니, 짧은 시간이라도 가벼이 여기지 말라. 연못 봄풀의 꿈에 미처 깨지도 않았는데, 섬돌 앞 오동잎은 벌써 가을소리를 내는구나!"

- 춘초(春草)는 인생의 소년 시절을 비유한 것이고 오엽(梧葉)은 노년 시절을 비유한 것으로, 소년이 노년이 되기는 쉽지만 학문을 이루기는 어려우니 짧은 시간이라도 헛되이 보내지 말라는 것이다.

21-03

陶淵明詩云 盛年不重來하고 一日難再晨이니
도연명시운성년부중래　　　일일난재신

及時當勉勵하라. 歲月不待人이니라.
급시당면려　　　세월불대인

도연명(陶淵明)의 시에 이르기를, "성년(盛年)은 거듭 오지 않고, 하루에 두 번의 새벽이 어려우니, 때맞춰 마땅히 학문에 힘쓰라. 세월은 사

〈21-02〉一寸光陰 매우 짧은 시간. 輕 가벼울 경. 覺 깰 각. 池塘 연못. 階 섬돌 계. 梧 오동나무 오. 已 이미, 벌써 이.
〈21-03〉陶 질그릇 도. 淵 못 연. 盛 성할 성. 年 나이 년. 重 거듭 중. 晨 새벽 신. 盛年 혈기가 왕성한 한창나이. 及時 때에 이르러. 當 마땅히 당. 勉 힘쓸 면. 勵 힘쓸 려. 勉勵 힘써 함. 待 기다릴 대.

람을 기다리지 않노라."

- 陶淵明 : 동진(東晉) 때 사람으로, 이름은 잠(潛)이고, 자는 원량(元亮)이다. 저서로는 〈도정절집(陶靖節集)〉이 있으며 《귀거래사(歸去來辭)》가 유명하다.

21-04

荀子曰 不積蹞步면 無以至千里요
순 자 왈 부 적 규 보　　무 이 지 천 리

不積小流면 無以成江河니라.
불 적 소 류　　무 이 성 강 하

순자(荀子)가 말하였다.

"반걸음이라도 쌓이지 않으면 천리에 이르지 못하고, 작은 물줄기라도 모이지 않으면 강하(江河)를 이룰 수 없느니라."

21-05

周易曰 善不積이면 不足以成名이요
주 역 왈 선 부 적　　부 족 이 성 명

惡不積이면 不足以滅身이어늘
악 부 적　　부 족 이 멸 신

小人은 以小善으로 爲无益而弗爲也하고
소 인　　이 소 선　　위 무 익 이 불 위 야

以小惡으로 爲无傷而弗去也니라.
이 소 악　　위 무 상 이 불 거 야

〈21-04〉積 쌓을 적. 蹞 반걸음 규. 蹞步 반걸음. 至 이를 지.

故로 惡積而不可掩이요 罪大而不可解니라.
고   악적이불가엄   죄대이불가해

《주역》에 말하였다. "선(善)을 쌓지 않으면 명성을 완성하기에 부족하고, 악을 쌓지 않으면 몸을 망치기에 부족하거늘, 소인은 작은 선(善)으로는 이로움이 없다고 여겨 행하지 않고, 작은 악(惡)으로는 해로움이 없다고 여겨 버리지 않느니라. 그러므로 악이 쌓임에 감출 수 없게 되고, 죄가 커짐에 풀 수 없게 되느니라."

〈21-05〉弗 아니 . 无 無의 고자(古字)임. 去 버릴 거. 掩 숨길 엄.

명심보감에서
사람의 길을 찾다

초판 1쇄 2017년 3월 8일
초판 2쇄 2017년 8월 31일

지은이 초운 오석환
펴낸곳 한가람서원
펴낸이 김기호

등록번호 제 2-1863호
주소 서울특별시 중구 마른내로 72 인현빌딩 504호
전화 02)336-5695
팩스 02)336-5623
전자우편 bookmake@naver.com
ISBN 978-89-90356-39-0 03820

〈이 도서의 국립중앙도서관 출판시도서목록(CIP)은 서지정보유통지원시스템 홈페이지
(http://seoji.nl.go.kr)와 국가자료공동목록시스템(http://www.nl.go.kr/kolisnet)에서
이용하실 수 있습니다. (CIP제어번호 : CIP2017006090)